王朔
著

新狂人日记

北京出版集团公司
北京十月文艺出版社

目录

狂人序

下回真要找人来写个序了，老是自己给自己写序不太好，我是不爱看自己写过的东西，就像不乐意听回声，说一遍完了，也不是什么好话——听说。听说我疯了，那就是疯话了，还是把谁气疯了？都不好，不合适，都挺不容易的，这话说得像正常人么？什么疯啊，也就是有点不懂事，净拣人不爱听的说，我还以为我挺有礼貌呢——不信打听打听去，我什么时候当面跟人不客气过？还真有！近两年屡有发生——太不像我了。要是把丧失现实感当精神分裂的一个诊断标准，我还真不敢说我精神完整更谈不上连贯。

发生认知障碍挺可怕的，渐渐不相信现实了，连一步也不敢往前迈，人就站在大街上，活生生的，大街不是原来那个熟悉的大街，人全都翻了脸，只能闯着走，闭眼也无济于事，色彩更鲜明，人、楼、车、阳光、每一个眼神，全冲着你来，要回家，只能迎着上，当然全擦肩而过，险象环生但什么也没发生。

那些个敏感称为妄想。妄想就像侦探，收集每一条线索，以支撑自己的担忧，强化自己的妄想，每一个碎片都拼上，圆满了，也就和现实彻底脱钩了。

这里的两个小说写于妄想产生时，03年04年左右我也记不清了，因为写了无数遍，属于“自动书写半成品”（某人语我喜欢）系列。随笔感言都是07年上半年妄想渐至高点终于水落石出，写的。因为写在网上一般就叫博客。其实是每一念起，就直接打上去，时时刻刻，风声鹤唳。我自己是想试验一下不存念想是什么情况，结果可想而知，惊倒一片，也惊着了自己。主观统摄一切，我倒明白了何谓附体。一念推一念犹如过大关，最险就在赫然发现自己竟是魔鬼本人，几乎涉渡不过去，拉上全部窗帘自闭在家。最后到达最后的诱惑，我还是选了诱惑，怕无辜的人伤心。还是那个观念推不倒：责任不尽完，不得解脱。

按时间顺序可以捋出一条所谓心路历程，但是书没按时间顺序编，而是按现实指向分类，这也是避免本书发生分裂的必须选择，因为读者在现实中，特别怕看不懂，应当照顾，成心要买不懂看的毕竟是少数，极个别也没准儿正是精神病。我也不同意印一本书给人疯着看，再看疯了回不来。那个过程只对我个人有意义，犯不上别人关心。郑重推荐自我治疗精神分裂的办法：把妄想敲进电脑里。剩下的就是一个特别现实的人了。

狂，我理解就是瞧不起人。我觉得我只是瞧不起事儿。但是我特别反对某人在某一行业杰出整个人生都跟着清白、人格随之完美了。这不合天经地义。坚决打倒马屁精！和食腐者。

“文革”语言固然可恶，“文革”前，由此上溯两千年，也不怎么样，武汉话：不服周。周以前，上古时代，老子眼中的理想社会，小国寡民，老死不相往来，最新推论是母系社会，这观点剽窃自一个叫谢一萍的人。曾侯乙墓出土复原的曾侯乙，太像猿人了，那位姓姬的周王族，太像我小学一同学还是当兵一战友了，外号应该叫：扁豆。

别人，三星堆、埃及，权位、王者是拿棍子——权杖，帽子——王冠象征的，咱们，商、周，是拿饭碗饭盒——九鼎八簋，——谁家饭碗多谁就是王。真行。太爱吃饭了。我能说是商量着大家来点粥么？

另：别人要说你疯了，你就承认：我疯了。他们就拧了，没法送你进精神病院，因为精神病的另一个诊断标准是：病人不承认自己疯了。

我

回忆初夜

昨晚可说是我在网上第一次群交，和所有初夜一样既混乱又兴奋累得骨头痒痒，可能冷淡了一些人，可能得罪了一些人，可能美了一些人，都是年轻人身子骨比我结实，我是一扭脸就睡了，早上看到一些纸条最高兴的是一个我喜欢的人回的但是我在这儿不说当成我们俩的秘密，这么快就有秘密了我这个人真是既浅薄又虚荣。但是还有一个我喜欢的人没回又有点失落——这俩人都是我昨晚聊完天偷偷给人家发的纸条。但是还不太会操作把地址都弄丢了，又是一重失落。相信跑不了在网上玩失踪都是成心。

早上想了想，昨晚还是有些不妥，太放肆了，虽然和女孩吵架是人生一大快事，但是还是有些歧视性言论在这里需要深刻反省。今天早上也有河北一学生批评我了，希望我文明，我听他的，从今儿开始文明。

反省一：和一农大女生吵架时嘲笑农大是种地的，这里流露出看不起农民，鄙视农民的味道。我小时候贬低谁时往往会说人家是农民，好像农民就没有文化，就是落后愚昧的象征，这自然是城里人的风气，但是也不能原谅自己，这优越感是可耻的，而且虚妄。在这里向农大及所有农民道歉：我错了又错了。种地光荣，土地是国民之本。农民是为国家进步付出最大牺牲的人，他们相比城里处于贫困落后的境地不是他们的问题是我们所有受惠于他们的城里人的羞耻。如果我尚不能付出所有帮助他们改变现状，至少应该尊重他们，心存感激，这已经很虚伪了。跟他们比我很不高尚，我为自己感到脸红。

反省二：一男孩说了一句屁，我说了一百多句，严重不守恒。还有涉及排泄器官的用语，涉嫌下流，再向男孩道歉。我允许你找补我一百多句如果你乐意的话。并希望和你共同倡议：除了生殖器官，父母的性生活、排泄器官、排泄行为、哺乳器官凡不轻易示人的都应列入脏话系列，不留神说者，应比照台球规矩，停杆一次，即停止发言一天。让我们共同争做文明炒作标兵，没上你的座位，不知你是不是广电专业，如果是将来也是媒体一员，希望媒体在你们这一时代走出下流和廉价。严重的问题在于教育媒体自己其次才是人民。

反省三：一人吵架一人当，粉丝加入往往使事态恶性扩大。我也不认粉丝，只想对将来我再和人发生争议时站在我这方的朋友说一句：请看热闹，不要加入。本来我都是有章法的，打一巴掌揉三揉，不打不相识，绝对有自信打完全是朋友，你那里一开骂这位也疯了，什么话都当坏话听了，大家成敌人了。争论的目的是达成妥协，甚至都不需要共识。言论自由并非言论一致。不一致没关系，有的是时间慢慢聊，我们都不强加于人。在占座，你们很以为自豪也许还自以为很高端的干净场所……我不想用精英这个词因为咱们都不是，你们只不过是幸运儿，你们都是好学生我相信，我是坏学生淘学生的代表，咱们好学生和坏学生在这里会师了，咱们给社会上那些匿名的野网民做个榜样，在咱们之间要不能实现言论自由发言平等我也不知道哪里可以了。对歧视坏学生你们叫双差生的言论我是要坚决打击的，歧视好学生请你们坚决打击，咱们就率先平等了至少在口头上。

（编者注：此篇写于王朔第一次上“占座”网与网友聊天次日。）

回忆初夜 2

昨天表现好的就不表扬了，原则之一：严禁互相吹捧。表现不好的有王朔和一个山东的和陈水扁女婿同名的人。你说我不就是当过兵么，我还告诉你，我还就在山东当的兵，在你还没出生时就保卫你的父母，使他们能顺顺当当生下你，省吃俭用供你去学吹玻璃，捏糖人，糊风车，你们山东工艺美术学院是工艺美术学校自个儿胡乱升的吧？你瞧不起解放军么？原则之二：人欲歧视人，人必歧视他！你讨厌我，就应该和我不一样，比我文明，你可千万留神不要变成和我一样的人。原则之三：你以其人之道还治其人你就变成你的敌人。

初学乍练请多关照

欣逢信息时代，可以不必写完提交出版社这帮二把刀编辑修改直接就发布了，在我这就是写作自由了。这些年思想天天进步，几乎没法写完一个东西，二逼说我沉默了，更二逼的说我寂寞不甘，更更二逼的说我脱离社会了，高调复出什么的，我受累问一句二逼：我没在社会我在哪儿啊？就你们家是社会。嘁！人无往不在社会中行么？只是提高得有些飞速日日修改怎么拿出手？对自己要求不严笨得流鼻涕的人当然无法体会。另：二逼不是脏话是被“二百五逼的”简称。

我这8.23生的人实际是狮子处女简称狮处，上升星座天蝎自我毁灭型上升快二十年了，早物也不是人也非了。这下好了，我那号称二百万其实一百来万字的东西也可以胡乱拿出来了，第一篇《跃出本质谓之骇》给老徐电子杂志第一期开包，可老徐这个抠门儿还舍不得，要往后放，我跟她说多得是，放晚了都不新鲜了。谁知她听不听，她是我老大，我也没办法。

我这人有时口粗，各位高四高五高六高七大校生多包涵，气不忿可以以其人之道还治其人之身，毛主席保证骂还口批评不还手。

鲜花村和占座的关系

昨日有人问我为什么跑这儿来了岁数挺大学历只是高中，其中含有问鲜花村和占座关系的意思。

我未经老大们授权擅自在这里说说，有与谢老大徐老大说辞不一的地方以她老二位为准。本篇的解释权在二位老大嘴里。

鲜花村和占座是互惠关系，鲜花是内容提供商，占座是技术支持商，内容共享，技术仰赖占座。

山美（编者注：山东工艺美术学院）**案大事记给不明真相的丁微度身定做**

第一天上网，山美同学甲发来无礼问候，说讨厌我。遭到我次日回帖《回忆初夜》。

次日，山美同学乙更加无礼，第一句话：你还没死呢？遭到我回应：到5码头办你。此次是我更无礼，我向同学乙道歉。收回这句话。

三日，山美大批同学来袭，同学丙前来刷屏要求撤帖。我向山美谢罪，给贵校添了很大麻烦。但是帖不能删，这是历史记录，只能证明我无知，南京大屠杀的历史能篡改么？你们不是吹糖人的，把你们的专业设置贴在旁边，证明我无知落后岂不更能为山美正名？

再日，同学丙也接受了谢罪，没再坚持删帖。上午聊得不错，也能互相开个玩笑，中午去看了牡丹，回来又病了，再次要求删帖，我以为是喝了两口，到傍晚就完全疯了，说我打一巴掌揉三揉，不吃这套。我以为是受人挑唆，好赖不知了，并且再次灌水，遭到我的警告，不听，变本加厉，大肆刷屏，搞得别人无法聊天，而且越说越不像话，要给我糊花圈什么的，我倒不怕你骂，实在是讨厌，搅局，必须制裁，停杆一天，这话我在《初夜》一文中已有言在先，我是认真的，你以为我开玩笑呢？你以为我真怕你——们呢？停杆之后，以同学丁座位再次登录，继续破口大骂：让我脑袋搬家，狗日的什么的。这才招致我公安厅之类言辞。我靠！我没撒野，你还撒起野来了！就你会灌水？我今后还不封你号了，我直接侵入你电脑，灌死你，要不是怕违法，我病毒了你全体信么？之后才有之后一切。我不骂同学丙不守恒，我不想恨他，就让他现世报，当场两清，谁掺和进来同样下场。

我还告你们：帖子是不会删的，除非法院下令，你们告我去，走法律途径解决，玩野蛮，打群架，你们全校上来都不够我一口吃的，不信就试试，身体好、人多在我这儿统统不好使，你们别逗出我的人性恶！老子是悔过的魔鬼，黑天使，地狱军团都跟我熟，上帝我都敢反，何论你们一帮小崽子，你们别跟我玩玉石俱焚这回事！

谁骂粗话谁停杆，这是纪律。鉴于我也有粗言恶语在本文和聊天记录中，我建议我停杆一天。现在是 4 月 23 日中午 12 点，我将在 12 点半关机，24 日中午 12 点半再见。

详情都在聊天记录中，请你耐心查看，我哪条说得不是，听你的。

看中国人民解放军内务条令有感

尿床者即遭退回。我在新兵时有一兵睡上铺，每夜哗哗的大水冲了龙王庙，住在下面贼倒霉。兄弟我忍了又忍，还是在第一次实弹射击抖了一心眼吃了一安定，以为真安定，结果困得瞄不准靶，打了一良好，回来悲愤地尿了床，幸亏穿着棉裤绒裤一大堆毛线裤衩什么的睡的活活没渗出一滴来全自个儿吸收了。才没惨遭退兵。

wo bei ziji xia zhao le!

moguibenren。wo bei ziji xia zhu le。wangyan, zui rongyi qi shenme waihao ne? daoguolai, jiushi yanwang。o, maiga! yanwang dengyu xifang de mogui。wokao! mogui pa baolu ziji 12 sui qiaoqiao gai le ge ming jiao wangshuo。

(编者注:

我被自己吓着了!

魔鬼本人。我被自己吓住了。王岩,最容易起什么外号呢?倒过来,就是阎王。噢,买尬!阎王等于西方的魔鬼。我靠!魔鬼怕暴露自己12岁悄悄改了个名叫王朔。)

无题

好，又能怎么样呢？好，我全得了，还是空虚。

心念

以德报怨，还是居高临下。装逼！

心情之一

没有人格遮羞布，真恐怖。

我觉得我已经精神分裂了

分裂得清清楚楚，不碍你们事儿吧？胶东口音：景深崩溃了。毛笔养的！缺失进愧了。

共青团

共青团。少共国际师。我以我血荐轩辕。我以我血荐轩辕！牛掰！感动。

关于我是哪头的

在佛教，我是唯识宗那头的。跟老释（释兰若同志）一家。在政治立场，我是新左派。文道那头的。以党派论，我是共青团那头的，少共国际师。也可以翻译成少先队系列儿童团。在基督教，我是魔鬼那头的，撒旦。但是悔过了。被安排在中国明白了。在北京，我是作家。

写小说的。现在叫王顺义。所以，谁也不要跟随我，跟随我，就是跟随魔鬼。魔鬼最时尚。最会打扮自己。装酷。吸引小孩。演上帝。

增补：在社会面——阶级层，我是中产，破落户，前不着村，后不着店。演弱势群体。在心理层面，我分裂得一塌糊涂，四瓣五裂。是疯子。疯子也可以翻译成精神病。精神病对自己的言行不负责，打死人不偿命。法律说的。所以，都躲我远远的。

增补二：在写字的里头，我是笔仙。所以谁也别跟我比。

增补三：在萨满，我是神棍。简称跳大神的。——我到底是谁呀？

德国编剧《香水》观后感

超级靠谱。完美。圆满。没话——话都让他说全了。《道德经》《华严》电影版。环环相扣，每一环都物极必反。看的时候，脑子里不停浮现：美之为美，斯恶也。善之为善，斯不善。大道废，有仁义。慧智出，有大伪。把所有人都骂——嘲笑了；——太狠了。毫无痕迹，严丝合缝。圆得像飞碟。飞去来器。

增补：神布置在地球村各地碉堡的交叉火力点，都把机枪管子打红了。

剽窃刘厚明的快板书——反正不是没人管么？

1953 年美帝的和谈阴谋被揭穿（和谈也成阴谋了——为什么呀？），他又疯狂北犯妄图霸占全朝鲜。这是 1953 年的一个夜晚，阴云笼罩安平山……号称是美李的王牌他叫白虎团，伪团部就设在半山腰，铁丝网一道又一道，地雷密布在前沿，忽然间，闪出几个人影，转眼之间又不见了……什么情况？

关于千岁寒为什么没写完

红楼梦不是也没写完么？写完多不牛逼呀。要不将来千学家们不是没事干么？

剽窃崔英健——这毛病一旦养成还真不好改——过去四十年

我只学会了忍耐，难怪姑娘们总说我不实实在在。

美容方法之一

阿司匹林泡腾片加法式棍面包——严重好吃。

看锵锵三人行有感

戾气重？那是因为社会矛盾尖锐、突出。这就算够好说话的了。这要搁在你们香港、台湾、任何一地儿，你想想，您们——他们、大家伙——还能那么儒雅么——窦哥、文道兄？

生活小常识

镜子开片——花玻璃——微波炉高火一分钟。——但不要心疼微波炉哟。

为举报事告各娱妓和脏媒体

你们不是一天到晚喜欢炒作娱乐圈潜规则么？这次我报了个潜规则看你们敢不敢炒作。不敢炒你们就是脏！敢登给你们平反，取消妓的封号。不用找我核实，你们不都认得点导演制片主任么，找他们核实去。

另：尽管新的网络出版规定，未经许可转载网络作者作品属侵权行为，将承担法律后果。但是，我恩准你们随便使用我在占座发表的任何言论和随笔，直到另行通知为止。

另：鲜花村那边的各种假王朔言论请你们长眼睛，不要乱用安我头上。惹出麻烦找你们算账。广州《家庭》刊登虚假文章有关我和我母亲的，《文摘报》胡转，造成恶劣影响，我都会找他们一一算账的，到时候让他们欲哭无泪。勿谓言之不预。

和女儿同看《与青春有关的日子》有感

我是四看了。王咪咪同学的反映是这群人太贫了，格格乐个不停。我是觉得这帮孙子太坏了。女的都太可爱了。我几乎是见一个爱1个。方言太讨厌了后来，从二十八集开始就不说人话，装大个儿的。毛主席保证我不那样——允许我对号入座么——我对女的有意见以反省为主，不谴责别人特别不谴责人家不道德——自己就够不道德的了。方言演卫道士简直不忍卒睹。叶京太能导戏了，冯裤子最后那一翻儿多好啊——必须恶捧。

此部剧五十二集，拍摄资金七百万，合每集十万多一点，情景喜剧的预算，什么电影手法也用了，可以说叶京是不贪污的导演，是战士，一人打退赤坎镇闹炸四百群众演员，进三回派出所为拍戏发生纠纷。佟大为同志为成全这部戏自己掏四十万赔耽误了档期的下部戏——这是什么精神?

告天下担心我的红知

民不畏死，奈何以死惧之?（收一红知短信有感。短信原文：……你别乱来，别人会不会把你杀啦?）

你们怕了么

善良大众所谓的? 今天我接到一个记者的短信，她这样说：为啥最近你老说一些听起来让人震惊的事呢? 我以前很爱读您的作品，现在大家都说您不好，说您疯了，我觉得听起来很难受的。

我回：那是大家无是非。

她回：可是有时您揭的东西会伤人，而且人们也不信您的话。

我回：我就是要让小人人人自危。走着瞧，看哪件事不是真的，你也不必替小人忧心。

她回：这样也会影响您的创作大家认为这不过是给您的新书炒作结果书卖得也不好。

我回：那就不必您操心了，再聊下去我该看不起你了，所以，再见。

她回：嗯，谢谢，很高兴和你聊天。

我想问：大家——是谁？我感到这女孩子很好心，但是我感到悲哀——不是为她。

你们怕了么续一

我发短信给报社小孩：对不起把你的短信发占座网上了没露名。我为你们感到悲哀。

小孩回：没有什么可悲哀的，每个人的追求都不同，可以理解。

我回：我不理解你的那个大家。

她回：包括您也包括我，还有别人，大家都有自己的追求，您为了您的信仰，我为了糊口而已，其实挺羡慕您的……

我回：不聊了，你们连起码的良知都没有，以后你别给我发短信了。

她回：我也不愿意打扰您，各为其主。

我回：也不要讲良知了，公民义务有么、懂么？谁是你的主子？

她回：我是个刚毕业的学生，说直白点，解决温饱问题才能上升到您那高度，谁都知道人要有良知，前提是这人得活着先。

我回：你是谁的奴隶？

她回：我不认为这就代表被奴役，只是选择的这份工作没有为劳苦大众直接服务而已，高处不胜寒，能透明到您这份儿上实在不容易。

我回：鲁迅管这叫坐稳了的奴才。

她回：呵呵，除了天生皇帝每个人都是从奴才做起的，只是别做心灵的奴才。

我回：支持你。别和大家变得一样。

她回：其实我觉得您以前的方法挺好的，有时候写出来比说出来更耐人寻味，其实现在所有人对您的追逐绝不是对您的良知的崇拜，只是一种功利，挺悲哀的，包括我。

我回：不包括你。我回不到从前，人总要长大，包括你。

你们怕了么续二

她回：我觉得毕业后，所谓的长大变得很残忍，很多事都做得很无奈，现在这个社会很多人活得挺让人鄙视的，太虚伪。

我回：金钱是自由意志的奴婢！记住我的话，如果你想有钱的话。

她：太对了。我要求很简单，让我做个有自由意志的活着的快乐的穷人吧，呵呵。

我：不一定穷，我就是例子。

她：我没有你的才华啊，还有其实你的运气很好，你的活的时候中国文学还鼎盛着呢，起码也是最后的辉煌，现在都只剩钱了。

我：个性很值钱的。

她：我就有个性，所以从小老师就讨厌我，说我不会拍马屁呵呵。

我：这才哪儿到哪儿啊？我在你这个年龄就社会地位而言还不如你呢，我没考上大学（考了一次，愣没通知我分儿这帮缺德的）。

她：幸亏你没考上大学，现在大学毕业找不到工作都是大学里惯的，那太束缚人了，您要进大学现在扎人堆里就找不到了。

我：我的手机给你发短信摁坏了左移动和操作键不能发笑脸了。

又追一个：当然也没人能教我啦。

以下省略。

庆贺夏粮丰收

猪该便宜了。当年“三夏”去农村拔麦子，真累断了我的腰。那麦浪，一眼望不到头，日出日落，这两垄麦子还没拔到头呢。北京那个郊区现在叫顺义区、天竺，我东门仓小学5年级小学生背着被子假装解放军拉练从仓南胡同5号老段府段祺瑞他们家一路磕唔唉——快到天竺。——六十公里啊，首都机场啊，现在的机场辅路，路上假装放哨，男女分开路边撒尿。走了一夜我大爷的！出朝阳门还听见工体里“五球运动会”——智利国家队踢中国队起哄、叹息呢。我们就悄悄滴解东门仓胡同一路疾走假装迷你武功队，贴墙根，顺城根儿出城了——哼是那时见怪不怪——现在谁要见一帮小孩打着背包扎着皮带假装正规军沿马路牙子——高没高多少比马路牙子一通乱窜——还不拦住——截住！报警！——你们没事吧—— 一帮披头散发女老师领着——这是跟谁呀？——哪知是学校规定必须的下乡帮老乡拔麦子！

我是疯子

也是被你们气疯的！

一个老共产党员的话伤了我的心

——各人自扫门前雪，不管他人瓦上霜。——我没法对她态度好，只能问：你还是不是一个共产党员？（全因我建议这位有半个世纪党龄的老党员去院里扫一扫地——要不她擦八百遍自家雪，石头地都给擦成水塘了。）

夏日旅行计划

本来想去日本看京都奈良北海道的——王佳要去看她美国的日本同学——去人家跪着吃小菜——顺便去探望教我用拼音的张静老师——但是，日本高法驳回了中国劳工的赔偿要求，安倍又去咬默克尔的耳朵——不让他们丫进 G8——鸡巴？——不去了。瞧不上你们那点小样儿！——你们是世界第二经济强国么？学学大平正芳同志——不让赔不行！无息贷款！——想正常先丢下小国寡民的心态。要不你们还得拧巴。建议把劳工赔偿慰安妇赔偿和参加安理会捆绑谈心。

八不（编者注：王朔的猫）**上树了**

八不刚才一猛子上了房后的银杏——早看它箭步蹿越——上去抱不住——掉下来——爪子被绞了指甲——这回留尖了、硬了，一把上去了。猫上树——好玩。

我知道我为什么不爱吃水果了

——花——植物性器官，授粉——交配——结出果实——婴儿——孩子——吃水果等于吃植物的孩子——等于吃婴儿。——再也不要给我送水果了各位——太烦了！又便宜又不道德！但是，喝果汁——伪善！

世说新新语之一

一日，老金送来金黄红嫩椭圆形躺瓜数只。莫蕊莎公主说是芒果，我说是木瓜。莫蕊莎说打赌：你输了就做我一天奴隶。我说打就打——你就是这样奴役薇薇安昆斯和奶奶的吧？任凭你们唠叨、谩骂，但是给我干活——现在的奴隶主都学会了这手——以忍受听觉的疲劳轰炸——很快就皮实了——换取奴隶——父母、奶奶姥姥之类的服侍。

我输了。果然是芒果——核又大又硬几乎等长于瓜本人。我说：赌了不算，赖皮。因为奴隶和奴隶主之间的所有契约是不平等契约——斯巴达克斯——起义——不平等之间无有诚信！

相关链接：小丫的太会支使人了。

我们智慧人

已经从你们财产人那里完成了资本原始积累，让技术人开发够了 P 吐 P 的管道，您们还有神马优势啊？就剩我们带不带你们玩了！

盖了扒

——扒了盖，靠基建堆出来的国民生产总值我看可以歇了吧——能让我们耳朵根子清净几天么——别老听爆破、电锯、大吊车、载重卡车——弄得机场高速周边京顺路、辅路神马车流滚滚大灯晃眼，跟打仗似的——跑车队——我还以为进了电影《英雄儿女》呢——朝鲜——志愿军车队——能别起哄么我求求你们了——让我们过几天安生日子——打改革开放我就幻听电锯——装修！——我靠！——还有完没完？躲哪儿去我能躲了你们？——别逼我真去多米尼克啊！

平等公式

我是流氓我怕谁＋你是流氓谁怕你＝谁也不怕谁

约等于：平等。近似值：恐怖平衡。

应用范围：此情此景。

增补：shui pa shui zhidaoing.（编者注：谁怕谁知道。）

88旧事之一

一夜，某人领几个电影学院小孩见四川三哥：她们都是电影演员。三哥说：哦，你们都是哪个电影院的？

之二

一夜，三哥见几个模特，问她们是哪儿的，模特回：新丝路。三哥大惊：缉毒处！

之三

某夜，大啪踢。88楼上人满为患，七位爷见面，求求给互相介绍：这位是三哥，这位也是三哥……求求抱惊下楼对我说：七位都是三哥。

之四

那时，局主要是围绕三哥组：周一，三哥要去天津了。周二，三哥又不走了。周三，三哥还真走了。周四，三哥回来了。剩下就全周末了——必须的。

不知三哥一向可好？某夜，三哥很真诚地对我说：其实咱们都是有文化的骇，不像社会上那么乱七八糟。

骇场纪律

假骇罚钱。不许戏果儿——可惜拦不住果儿往身上砸。

老**88**老板娘之一雪梅

听说当导演了。拿数码拍了几个短片到欧洲得一溜小奖了。——电影学院胡乱进修几天。

再告××卫视及各商业媒体

不要再骚扰我，给我发无聊的节目预告，没人要看你们那些破节目——你以为你穿了坎肩——假装严肃——假装文化——我就认不出你！你们必须学会付费采访——按商业规律办事—— 一百万一小时——没折扣。你们想娱乐我——我娱乐死你们！

居然还有人拿两万块钱买我八百字

给他写序——见过穷鬼跟我摆阔的——不卖！

老有一些记者

不停给我发短信要求采访今天还有——老以为我误会了她们的好意——为人刻薄。拜托，我公告多少回了：采访要收费——平面媒体十万一小时，电视媒体一百万一小时——听不懂中国话是么？——跟律师谈话还要收费呢。——我是认真的——谁在我这儿也没面儿——甭跟我提人——我不是个人——我是个媒——还不明白么？

要不就是笑嘻嘻纠缠：没钱。——谁要你出钱了——要你们单位出——你到底代表个人还是代表单位你自己先搞清楚——朋友来了有好茶——媒体来了有开水——缺心眼么你们?

何况我收了钱

不是自己要——全数捐给穷困女生和患病女孩——至今没有一家媒体肯付费——从春节到今天——叫我怎么瞧得上你们——再无耻纠缠公布你们的号码！——讨厌！

凭什么你能肆意炮轰别人

别人不能说你一句你太霸道了。——杭州某报女记者语。此女春节前冒充我朋友，找我要独家百般献媚又寄小胡桃(寄丢了，贪便宜给不靠谱的专递)又上我们家做客。节后我去上海发新书还见了面一副亲人的样子，扭脸就在该报上发了篇报道《王朔新书杭州遇冷》。之后又觍了脸再三跟我联系采访，我置之不理，她作委屈状：让我死个明白。我回：你说呢?她分辩说我是客观的我尊重我的新闻工作者职守。我回：你现在跟我讲客观了一点善意不讲了?我也跟你讲客观。我问：我能上街随便采访俩报摊几个路人就说你们报没人看么?你们不负面炒作难受是么?她说记者只管写稿不管标题。我说所以我不怪你，怪这世道。告你们主任(据说在修《金刚经》)脏心眼不除了修什么都没用。因而引起上述标题那句气愤之语，她还说我们主任很善良的你太欺负人了。我说我还没公开点你们名呢你别不知好歹。她说我们惹不起躲行吧。我说你别糟蹋善良的含义了。我拿你们当朋友真是瞎了眼。

在信息时代

个人媒体日趋发达的将来，你们这些靠飞短流长胡编乱造过日子的脏媒体都要失业——我看不过二十年——以生活的节奏的加快，也许不过十年——都赶紧去想出路吧——缺乏原创的个人只能去搞物流了或者为原创者打工当编辑也有碗饭吃。

我看你们最好联合抵制我

各脏媒体——你不抵制你都是孙子！

但凡我所言人和事有一句失实

——你想这帮孙子能放过我么——他们一个个是省油的灯么——现在一个个假装受伤害的样子默不做声——不吭声就对了——告我——只能是自取其辱搭包的——升级进监狱也没准——凡涉及犯罪的。

为开发大西北

——纠正沿海地区和内陆地区发展不平衡，遏制疆独势力，郑重建议国家考虑实行两京制，中央政府国防公安等强力部门带两个集团军到乌鲁木齐建立西京。人大、政协、经贸各委、商务部也可一并西迁。这样北京房价就落下来了。留一些文化体育部门，恢复为文化故都。教委我看也可带北大清华西迁组成西北联大，多出人才快出人才。跑批文的吃中央的估计也就一窝蜂地跟去了。要不了10年，新疆人口估计能上亿都是汉民和不主张分裂的各少数民族，疆独分子一定太绝望了，公投也没戏呀。大学毕业不愿去边远地区工作的问题也就解决了。

当年明成祖迁都北京也是天子亲守国门的意思，以防北方蒙古北元势力复起。

况且乌鲁木齐在国际地理政治上离我们战略伙伴俄罗斯和战略纵深中亚地区更近，直接欧亚大陆桥，飞往欧洲、海湾地区更近。美国远点多飞三小时——远点远点吧。在北京和西京之间修条磁悬浮火车，东西交通也很高速。

新疆多好啊，占我国领土六分之一，自然风貌基本没被破坏，修中央大院有的是地方有山有水空气新鲜。开两会接待外国元首也便于保卫——省得扰民。有塔克拉玛干大油田用油也方便，省得往东部修管道。

北京甚或可以改叫东京以相对于乌鲁木齐——故意拧巴日本，就跟你重名——活该。飞机落错城市不怪我们。

以上观点仅供参考。

公民王朔。

一旦实行两京制

任何从海上来的入侵都将增加飞行时间，我国也可获得更多的预警时间，更容易实行拦截和疏散。

可以让乌鲁木齐再申请一次奥运会

——我看行。不知那儿雪山二郎山什么的够不够申请冬奥会，可能太高了。

西京筹备处人员可从中纪委查处违纪干部中选拔

给犯错误干部一个改过机会——过去叫发往边疆效力。表现得好，还可以重新重用。远离东部纸醉金迷的商业氛围，干部落水的机会也大大减少，集中居住也便于监管。

文学创作也可从新疆壮丽的山河中汲取灵感

创作出唐边塞诗那样大气的作品。建议北师大也一并西迁，北京留一首师大就够了，派于丹同志负责边塞诗的创作她不是喜欢沙漠么。

实话

北京再不能这么无度开发了，就快和天津连上了。地下水再抽就该陆沉了像山西三分之一地区一样，要不你们抓抓海水淡化，那样我们可以趴塘沽海边接水喝。

今天经人大常委会审议通过的《突发事件应对法》

删除了媒体“不得违规擅自发布突发事件”的内容。新增了“禁止编造散布突发事件的不实消息”。各媒体你们要注意了——不要知法犯法！

谨对地球上每一天每一位

因战争、疾病、饥荒、车祸、空难及各种突发灾难猝然去世的人表示哀悼——亡灵表示祭奠——心祭。

因腾讯无钱支付知识产权费

——明起收回对腾讯博客的授权。

midianma

wohepengyoushuonishimodaowoshiwangdaomogaoyichidaogaoyizhangdaogaoyichimogaoyizhangwangdaomodaolianshoutianxiawudi.

（编者注：

密电码

我和朋友说你是魔道我是王道魔高一尺道高一丈道高一尺魔高一丈王道魔道联手天下无敌。）

midianmazhier

dougezanjiakuanglifeishuibuliuwairentian.

（编者注：

密电码之二

都搁咱家筐里肥水不流外人田。）

听我爸说

当年晋冀鲁豫野战军千里跃进大别山向蒋管区展开战略反攻时，重武器也丢了——过黄泛区；部队也分散了，无根据地、无补给——后面拖着三十三个旅的国民党军，到出大别山改编为二野时，部队减员严重，他和他的首长看到张才千（后曾为副总长）的部队——只剩三千人——都是极其黑瘦精干的小个子老兵油子——湖北佬？——劲头十足地开过时——他的首长感慨说：都剩骨头了。

——就是这些老骨头敲不碎、砸不烂、拖不垮，下山会合陈粟的三野部队打了淮海——台湾叫徐蚌会战，彻歼了美械装备的黄维、黄伯涛（百韬?）、丘寿年李弥等兵团。——渡江——一鼓而下南京。——三哥诗云：钟山风雨起苍黄……

特以此篇赠久经考验幸存下来的第一班老同学。

恍惚记得我爸

拿着记录的小本子向我传达三哥语录：我们的干部子弟很令人担心……触什么——谁说赵太后（编者注：《战国策·触詟说赵太后》）逗起来的一段话……不要像八旗子弟云云。一本正经地教育我——我爸。我回：咱算干部子弟么？人说高干子弟呢吧？我爸拧巴了——这是他心头永远的痛——到十四级就上不去了——国家规定十三级以上才算高干坐软卧住高干病房什么的。

转业到地方可以补一级正好——部队比地方同级高一等工资——但是舍不得脱这身军装——估计到地方也没啥可干的——学的就是团进攻、师进攻什么的——苏军那一套演变而来——等于否定自己这一辈子。他好像就是去北京体育学院支的左拧巴着回来了——那时我们院——军训部主要军管的是国家体委——在另一位叫王蒙的（二十几军的）军长带领下——我们小时候看体育比赛不要票——净坐班车拿弹弓枪射击行人了——各场馆各种不靠谱的表演赛友谊赛都看恶心了。——我们院小孩还出了一堆乱平全国纪录北京市纪录的游泳运动员靳小东什么的——什刹海体校乒乓球业余练家子杨力文什么的——听说后来又转东城体校了——又混进坦克一师了——又混进市局九处了（当年，让人开了）——现在冒充港商乱赞助新加坡乒乓球队什么的——其实就是北京淘汰的小队员过去拿国籍——接着乱拿大洋洲东南亚各国冠亚军——都是队友——熟人。——所以现在谁也别跟我聊体育——烦——一堆人跟那起哄。——小时候住仓南胡同老段府——大鹰时，就经常被工体起哄的观众声从噩梦中惊醒——或者八万人一齐叹口气——我在被窝里听得真儿真儿的——心惊肉跳——不禁自问：这又是跟谁呀？

围裙怀孕了

——围脖干的好事——诱奸幼女——有人要把小造送来跟我们家八不成亲——条件是不许放养——考虑再三——人间险恶——世事无常——不忍八不后代流落歹人手里——决定让八不独身。——操不起这心。(编者注:围脖、围裙是徐静蕾的猫。)

(窦)建德坠下马来

士让拿长矛要刺他，建德说：不要刺我，我是夏王，可使你富贵。武威下马擒他，载在跟随的马上，来见世民。世民责备他说：我征讨王世充，干你何事，你越界而来，冒犯我军士的锋锐！建德两股发抖着说：今日不自己来，恐怕有劳你远取。

封德彝来贺战功，世民笑着说：不用你的话，才能有今天。聪明人考虑周详，也难免有一次差错吧！

德彝很觉惭愧(他一开始劝世民退兵来着)。

《资通》(3)722—723 页。

王：见过会聊天的。

(起初,世民大战窦建德)

淮阳王李道玄挺身攻阵，直冲阵后，再突阵而归，再入再出，飞矢射在他身上多如猬毛，勇气不衰，他射敌人，都中箭仆倒。这事记在 722 页。

——到 740 页：乙丑日(十七日)行军总管淮阳壮王李道玄与刘黑闼在下博交战，军败，被黑闼杀死。……道玄数次跟从秦王李世民征伐，死时年十九岁，世民很为他惋惜，对人说：道玄时常跟我征伐，看见我深入敌阵，内心很想效法，才会有这个下场。为他流泪。世民自起兵以来，前后数十战，时常当士卒的先锋，轻骑深入，虽然屡次危险但不尝为矢刃所伤。

王：我认为是他的甲好。

到 744 页

刘黑闼所属饶州刺史诸葛德威执缚黑闼，以城投降。当时太子（建成）派骑将刘弘基追杀黑闼，黑闼被官兵追捕，奔走不能休息，到饶阳，跟从者才剩下一百多人，非常饥饿疲倦。德威出城迎接，请黑闼入城，黑闼不肯；德威哭泣坚请，黑闼才听从他。来到城中的市旁休息，德威送他食物；还未吃完，德威率兵拘捕他，送给太子，结果跟他弟弟十善被斩杀于洺州。黑闼临刑前感叹说：我本来在家乡种菜好好的，被高雅贤这些人误了才走到这个下场。

王：德威、雅贤——叫这些名字的人基本都不靠谱。

回到 723 页

秦王李世民囚着窦建德等人到洛阳城下，来明示（王）世充，世充与建德讲话而哭泣。……丙寅日（初九）世充穿着素服率领太子、群臣及二千余人到军门投降。世民以礼接待，世充趴在地上满身流汗。

世民说：你曾经拿我当童子看，如今见到童子，为何这样恭敬呢？

王：要牛就牛到底呀。

……李世民进入宫城……拘捕世充的同党罪大的……单雄信等十余人在洛水旁斩杀。起初，李世绩与单雄信友善，发誓同生死。等到洛阳平定，世绩说雄信骁勇无比，请求捐自己的官爵替他赎罪，世民不答应。世绩坚决请求没有结果，涕泣而退。雄信说：我本来知道你办不了此事。世绩说：我不爱惜余生，与兄同死。但既然已身许与国家，事无两成。而且我死之后，谁来照顾你妻子呢？于是割下大腿肉给雄信吃，说：如果这块肉随兄变成粪土，勉强不辜负从前的誓言吧！

王：典型的流氓假仗义。人若不想死，不履行誓言——永远有词儿。李世绩就是后来的李责力（编者注：勣），他这个责力（编者注：勣）通功绩的绩，懒得在字库里找挺靠后的。此人临死（老死）也曾说过和黑闼类似的话：我本是山东一农夫，得遇明主才获封三公云云感激涕零的话。此时李世民早死了，他是和李治——武则天老公说。

也不知单雄信的媳妇儿他照顾得怎么样了？

你能想象他们一口广东话么？

后来

窦建德被高祖斩于市街。王世充被赦远远封了个小官。遂有后来刘黑闼之祸——黑闼原为建德部将，为其不平。

我怀疑李唐这帮高干子弟有歧视，凡农民起义闹出来的甭管自封了什么王——逮着全斩。原来是隋朝干部家庭叛国的却大都可聊——放一马。有点血统论的意思——不合适啊。

有一天在梁鸿志家里

我同张（作霖）的新派骨干姜登选师长闲谈，因我同他也有相当交谊，彼此说话毫无拘束。我说：张雨帅由绿林出身能创造出这样一个很伟大的局面，是不容易的，但我看不出他的特长在哪里。我觉得他很不宁静，办事的方法，似乎也欠精密。……姜便开玩笑地说：你不要把我们这位胡帅看简单了。我举两件事，你便知道其为人。郑鸣谦秘书长的前任，是一个外省人，被撤换后并无下文，于是我同几个朋友替他去说情。我说大帅待人，一向都很厚道，某秘书长被撤换后，未派其他差使，生活都成问题。张的回答是：我对他并没有甚么，不过他做了八年的秘书长没有同我抬过一回杠，岂有我八年之中，都没有做错一件事么，只是奉承我，这样的秘书长，用来何益？

引自《文史资料选辑》合订本（第八册）127 页——《我所了解的段祺瑞》，作者：邓汉祥。

王：真跟你抬杠——赶上您今天心情不好——您掏枪怎么办——人哪儿知道哪块云彩有雨呀老实巴交的。

134 页

执政府成立后，湖北督军萧耀南派财政厅长黄孝绩入京，由我陪同去见段祺瑞。黄对段说：萧督军是执政任统制时的士兵，由当兵直到主持一省军政，都是执政培植的，他爱戴执政，犹如赤子之对慈母。说了许多恭维肉麻的话。段的回答是：你告诉萧督军，他是一省的疆吏，他应该对国家对人民好，才是正当的；对我个人好，有什么意义呢？黄聆悉之下，始而惶恐，继而又采取拍马屁的方式说：执政是国家的元首，他对执政好，就是对国家人民好。

王：太会聊天了——赛着会聊天——千穿万穿马屁不穿——从古至今从未听一个干部说：我就是要贪污——要祸国殃民。名字里带孝的也基本不靠谱。

137 页

段氏平昔性情憨直，对人对事，只要他主观认为不对，他便无所顾忌，直言不讳，向来不采取阴谋暗杀手段。他是以儒、佛教的道德观念为基础，并以此作为他分析事物的标准。这是与他的封建思想分不开的。

他在执政时代，完全受张作霖、冯玉祥的挟持，但他决不以周天子自居，遇有抵触他的地方，他仍然是函电交责。他心目中总认为张作霖是胡子出身，冯玉祥在他做统制(师长?)时当过兵。又如当时北京卫戍总司令鹿钟麟到执政府，段往往在许多负责人会聚的场所，指着鹿钟麟说：这是我从前的兵。后来张、冯破裂，冯想将段捉走，而执行的人就是鹿钟麟。

王：太不给面儿了。

增补：冯是著名的小心眼不尊重人，所以后来石友三、韩复榘都叛了他。

同页(七)

回忆有一次在段家里陪他打麻将，我比吴光新、陈树藩二人先到，段在闲谈中向我说：二庵(陈宧)才有余而德不足，袁项城做皇帝，陈事前竭力怂恿，以此来取信于袁，袁就派他到四川主持军民两政；帝制失败时，陈又宣布独立。就做人方面，政治道德方面来说，都是不应该的。正在谈这段话将完的时候，陈树藩也到了，段问左右，还约的有哪位？回答说，还有吴总长(即吴光新)。陈树藩便脱口而出地说：老师一生许多事都误于吴三爷。段便说：小学生又在乱说，小学生又在乱说(因陈系段作保定速成学堂总办时的学生)。段用笑话来解答，还是有袒护不肯认错的意味。

王：乌鸦落在猪身上——背后议论人。——您马厂誓师算怎么档子事——活活气煞老袁。

增补：错了，向段祺瑞道歉，马厂誓师是讨张勋复辟。

接上段

又如有一次在天津他家里打牌，三缺一的时候，他家里就打电话把陆宗舆约来。打完牌，陆先走，段向我说：打牌虽是游戏，也可以看出人的好坏来。陆打牌时，鬼鬼祟祟的样子惹人讨厌。别人的票子都摆在桌子上，他则装在衣袋里，随时摸取。别人和了牌，他便欠倒一次，使人不痛快。我说：陆既是坏人，老总过去为什么要重用他呢？段回答说：项城重用他，我并未曾重用他。其实五四运动时，陆任币制局总裁，是段做国务总理时任命的。因五四运动以曹汝霖、陆宗舆、章宗祥为对象，段才把陆撤换。

王：都是事后诸葛亮。出了局比谁都明白。

大隈内阁发动强硬的二十一条交涉后

中国朝野群起反对，认为侵害了中国主权，同时极力向欧美各国盛加宣传。美国政府认为此乃日本鲸吞中国之手段，亦即加以强烈攻击，前阁遂因此下台。寺内内阁为力图缓和各国之空气，澄清中国人民之误解起见，首相已决定对华秘密借款问题，作为变更对华政策。引自周叔廉《西原借款》——《文史资料选辑》第三十五辑 1 7 页。

曹锟在清末当了多年第三镇统制

尤其在任长江上游警备总司令的时候，弄了许多钱。后来每到曹锟生日的时候，各省督军、省长纷纷前来祝寿。慢慢地，就有人奉承他，说“大帅足可以当总统”，接着就有人说“大帅愿意当总统”。

有一天我在秘书长王毓之（兰亭）的屋内闲谈，王承斌（孝伯）忽然对我说：养怡（我的号）是很有主意的，能不能把这一个疑窦给我们打开？我说：什么呀？王承斌说：大帅愿意当总统，是当得当不得，当好不当好呢？我说：那就得看为着什么。若是为国，责任艰巨，当不得；若是为自己，要快快下台，就当得。赚了一辈子钱无用处，老了不愿意干了，买一个总统当，当上两天，回家养老，以终余年，当得。

为下台而总统，是最好的办法。可是要早走，要快下，有此决心，可以当。无此决心，不可以当。钱多了，后人守不住。普通人有个三二十万尚且无好后人；能当总统的，儿子焉得有好的呢？人的一生，就怕升官发财，升官发财尚且不好，何况当总统呢？

《曹锟贿选总统始末》王坦遗稿——《文史资料选辑》第三十五辑 21 页。

后来冯玉祥倒戈时，把曹四抓去

要他拿出钱来。曹四拿不出来，说钱从前是有的，都被三爷买总统用去了。冯不信，逼着他要，曹四竟服毒而死。曹锟当了一年的贿选总统，下台后活到七十三岁才死。他的姨太太九思红给他生的一个儿子，听说解放后在天津某饭店门口给人家擦皮鞋为生。

同上——24 页。

10 月 22 日

顾维钧约我和孙润宇（字子涵，江苏人，国会议员）、米振标（热河督统）等人到他家吃晚饭。在席上，孙润宇用警告的语气对我说：注意呀，冯玉祥这人靠不住，不应当叫他带队伍到前方去。我当时对孙的话很不以为然，就不假思考，冲口而出地说：这一桌吃饭的人都靠不住，冯玉祥也不至于靠不住。……

不料第二天早晨我刚出门，就看到街上都是佩着“不扰民，真爱民，誓死救国”臂章的军队……

我对冯玉祥的认识是英明机智、治军有方。……他和吴佩孚意见不合，是由河南开始而渐渐尖锐起来的。冯任河南督军时曾到保定见曹，我适在曹处，见他痛哭流涕地向曹诉苦说：吴玉帅压迫我，弄得我不知怎样办是好，看样子他是要缴我的械。曹说：不会，他怎能缴你的械？既然你俩不和，我另给你想办法，你上我身子后头待着去吧。不久曹就发表冯为陆军检阅使，带队移驻南苑。冯对曹很感激，一直表示竭诚拥戴。

曹被囚后，我很关心他的安全，当即去到总统府，通过重重警卫，到了延庆楼，见到一位冯部的营长（姓名已忘记）穿着便衣陪伴着曹锟坐在那里。曹的神态很镇定，看我进来，徐徐地对我说：当时你们大家把我拥戴出来，这时又由大家把我看管起来，怎么办都可以，我没什么说的。听他的语气，大概也认为我也是倒他的一分子了。

我在沈阳住下

就去找郭瀛洲，得知他前几次到北京，就是为了和冯玉祥联络共倒曹吴的。我问郭说：敢情你在我家说做买卖，就是干这个呀？郭笑着说：谁叫咱俩是朋友呢！当时哪儿有你那里保险呢。我就问他：你们是怎样接洽的？郭就和我说：……我们答应协助他军饷一百万元……战争起来后……我就给他送去沈阳世合公银行开出的由北京兑现的支票一百万元。隔了几天，他就回师北京，把你们大总统拘禁起来，把吴小鬼吓跑了。郭并说：他会花钱买总统做，我们会花钱把他关起来。郭说罢，哈哈地笑个不止。

隔了两天

杨宇霆告诉我：雨帅今天晚上要见你，你等着，到时我来接你。在见到张作霖时，我把来意述说了一遍。

张说：谢谢你们的好意。我早给冯玉祥打了电报，让他好好保护三爷，不准伤害，况且三爷对他也是有恩的，他一定会照办。至于以后的事情，大家商量吧，我是不够格的。我说：曹三爷经过这番变动，他也厌烦了……张说：好吧，回去见到曹三爷替我安慰他几句。没什么，别看打仗，我俩还是朋友。冯玉祥替咱打仗，那是一百二十万小洋钱买的他，他不能主张国事。以后北京有事情，可以跟李景林、张学良他们联系。

在曹锟被囚后，段祺瑞就了临时执政

到11月27日，我被免职。……

我被段祺瑞免职后，就在北京住住，天津玩玩……就又去到沈阳，张作霖曾请我吃饭，并对我说：段芝老老气横秋，不纳忠言。孙中山先生政治头脑又那么高，他的主张恐怕行不通。听说他还要拿俄国人的办法治中国，那咋行呢！我说：政治总是政治，说是说，做是做，老百姓只要能安定就好了，实在也应该安定了。他说：是呀。咱们做官的就应当说到哪做到哪，要对得起天，对得起地，对得起老百姓。冯玉祥这小子说话没信用，一派奸诈，又想要直隶地盘了。我说：他说话没信用，做事有信用就行。张说：你又提这个啦，他那是冲着咱一百二十万小洋钱，你当他真心和我合作么？吴佩孚是败了，吴佩孚要是胜了，他还不是打我吗？我沉默了一会儿说：那么雨帅对国事怎么看法呢？张说：我是个军人大老粗，不懂什么政治，捧谁都行，反正我是不够格的。我跟曹三爷本是至交，又是亲家，都是让吴佩孚这小子闹得失了和气。别看现在这样，远近心里分，我跟他还是青山不改呀。

我回到北京不久

奉张与冯玉祥就起了政争。国民军和李景林动起干戈，始而李景林不支败退，继而直鲁联军反攻，国民军又败，在天津周围打起拉锯战来。继之郭松龄反张，又是一场混战。郭败张胜。张作霖为了报复冯玉祥勾结郭松龄反奉之恨，乃以大军攻冯。冯不支，于1926年春宣布取消国民军名义，通电下野。鹿钟麟率部退出北京，曹锟恢复了自由。

在冯部撤走、曹锟恢复自由的第一天，张学良就派人来找我，叫我同他们去见曹锟。第二天，我陪张学良、张宗昌、李景林到了公府延庆楼。张学良见了曹锟就跪在地上磕头，并说：三大爷，我给您老赔不是来了。我爸爸说对不起您，我们一定拥护您复位，大总统还是您的。曹说：嗐！不能干了，我德薄能鲜，以后国家大事要靠你们青年人了。张学良接着就说：我爸爸说了，您老尽管复位，做您的大总统，有他老在旁边站着，看谁敢说什么。李景林、张宗昌也一齐说：我们一致拥护您，您尽管放心。谁不听话也不行。曹说：一年多我什么也没办，倒吵起家窝子来了，你们看还能当总统？张学良等就齐声说：您老别说了，再说别的，就是不原谅我们了。我就插了两句说：亲戚朋友会吵嘴，父子有时也吵嘴，夫妻吵嘴的时候就更多，这都算不了什么，过去的事就都不要提了……

王：这就是私相授受——典型的流氓假仗义——张家父子。

第二天我又到延庆楼去见曹锟

曹说：张学良这个小孩子，说的话靠得住吗？我说：靠得住，没问题，是张作霖叫他来的，这我都知道。

我又把两次在沈阳和张作霖见面的事述说了一遍。曹锟听了显得很高兴。这时来看曹的人也多了……

王：又美了——老几位。

曹锟恢复自由了

我为了通知这个找那个，在外面跑了两天。一天到公府去，公府秘书张廷谔对我说，曹已拍出通电，告诉各省说冯部已撤出京畿，并说北京安静如常，意思是希望各地拥护他恢复总统职位，但没得到各方面的反应。后来经我们研究和向各方面探询，才知道都是在观望吴佩孚的动态，而吴对这个电报，并未明白表示迎拒的态度。到了这时，曹才决定迁出公府，搬到羊市大街去住。

吴佩孚自失败出走，经过通电再起，到这时已经一年多了。到底他在干些什么，不但曹锟是懵然的，连我也不大清楚。为了告诉吴佩孚关于北京的情况和了解他的情形，曹很想派人到汉口去一趟。于是我就自告奋勇说：我去一趟吧，也好跟子玉研究研究。曹很同意。当时京汉路似通非通，我坐了一段火车，骑一段驴，又坐一段火车，有时还坐一段大车，经过七天才到达汉口。我打电话给吴佩孚联络，约定次日上午见面。

王：还骑驴——真行——旧社会。

第二天，吴一见我就取笑说：炮手来了

这一下没把你这土蛋砸碎呀！我说：不但没砸碎，还磨成铁了。……我把拥曹复位的意思说了一遍，并且告诉他张作霖那边已经没有问题，都说妥了。他说：你这种想法和做法都是应当的，不过恐怕难以实现……三爷这人你不是不清楚，在前台他是唱不好的，我看还是请他在后台待待吧。等我把大局奠定，咱们再商量。我说：今非昔比，现在同你在山海关刚下来的时候不一样了……吴听我说到这里，不等我说完，就用“好马不吃回头草”、“兵不再役”等一些论调来堵截我的话。……

我从吴佩孚的查家墩司令部出来，就去找吴景濂……我就问吴景濂：你看子玉为什么这样反常，出乎人的意料之外呢？他说：没什么原因，只不过他头上不愿意再戴顶帽子罢了。……

……我到了北京，就一直到曹锟家里。见着曹锟，头一句我就说：冯玉祥没反了您，吴佩孚可真反了您了。……

不久曹锟就到保定去了。听说后来曹曾命清末状元刘春霖去过汉口，商谈复位的事，也没得到吴佩孚的同意，遂在5月间向全国通电辞职。而张作霖对曹表面拥护复位，实际利用他作为过渡，然后攫得大总统宝座的野心也成了泡影。我这个跑合拉纤的政治走卒，本希望在直奉合作中再得个一官半职，也就枉费了心机。

王：不可谓不忠——最后露了实话了。

北洋时期正经是一情景喜剧

——都不用编——比台湾现而今——热闹。——94年时事公司时代我和梁左聊过这事，在南城小旅馆住了俩月，开了个头，还是怕人吃味儿——官都太大了——放下了最后——也是又出了一堆别的烂事儿顾不上了。

回李淼

我不是不喜欢时尚，我只是不喜欢任何被标榜的东西——包括我本人的自我标榜——我那么做只是为了让某些人觉得世界没他们想得那么美好。——时尚被宣传成一种先进的生活方式实在讨厌——在我看来那不过是国际商家对可怜的白领的低级诱惑——搜兜。——我们能不使用何地的文化更“先进”这样的词么？

——你是不太了解北京地下文化之蓬勃和有生命力——这是全国流浪艺术爱好者共同开拓的局面——你所谓的时尚文化相形之下真是苍白至极——我都懒得正眼打量它。——不久的将来就让你看到——从音乐到电影——当代艺术就甭提了早在国外打得山响了——只是中国小资——山西挖煤团之类的——还没眼珠——消费能力——才不知道。——您不该呀。

另：很喜欢你的《中国神话的现代宇宙学》。但是我要说你对佛、道的理解在“之五”那里是方框里一个有——于俗见了——当然您聊的就是中国神话——其中很大一部分用你的话说本来就是“下下乘”。

一种苍白甭管谁喜欢——

再多人喜欢——还是苍白——再回李淼。——譬如武侠——全球华人喜欢只能说明华人愚昧——你在国外见过那些唐人街上的广东佬么——长得一个个那操性好莱坞电影还真没怎么编排他们——还真是他们最歧视讲国语的大陆人——他们是只认乡亲没有祖国。

害羞导致社会性焦虑

——易怒、不爱出门——还真是，我就是这么一病人。

关于释迦牟尼是老子的学生

——耶稣来过藏区——印度——是老释的学生之类的传说——人们乐于相信恐怕还是中央之国实在没得聊了——再就是以为知见只能口口相传——在古代——窃以为是植物传播的——开启般若的钥匙是植物——原子携带信息今天是常识了吧——还用老子不远万里捎个口信？——孔子怎么那么不招他老人家待见啊——也算是一种谬论吧我这一说。

美国卖过人肉包子

——在《快餐王国》这本书中提到一很著名的快餐——可能是麦当劳可能是肯德基不很确定可能是别家——往机器里绞馅儿时跟进去了一工人手和胳膊东家舍不得扔了这盆馅儿就煎熟卖了——后来现了——书里没写我猜是医生问工人：胳膊呢？工人答：在您孩子嘴里呢。——全镇人得吐成什么样啊？——当然啦我们北宋时就有人肉包子卖了这个不是新闻。不干不净吃了没病——我小时候，食堂炒扁豆里没个青虫，烧茄子里没只苍蝇那都不叫菜。

我和叶京小胖在沙窝开饭馆时，纸馅儿包子没做过，但确实做过土豆肥肉馅儿包子——美其名曰四川名吃：韩包子。我正经是登记在册(北京个体户协会)的二级厨子。净跟顾客打架了——他们——我不在我写小说去了——坐家——饭馆隔两天就得砸一次——往往是自个儿先动的手——熘肉片找不着肉——有一回碰见一河南人会武的站起来嚷嚷：俺跟恁会会。——饭馆正经请的一四川厨子特爱唱歌，号称和王昆是同学，西点军校学飞行的解放后落了派——我说西点军校不是陆军官校么？——立刻不聊了。最终还是卷了款颠了——倒是也没多少钱——七八百顶天儿了。

我认识一女的，她们家通县的，请全班同学到她们家吃饭，事后问大伙包子好吃么蚯蚓馅儿的——她们家是养蚯蚓专业户——北京联大的——本人——我在《东烤蜜猴儿们（编者注：Don't call me human）》里提过，鬼子到她们村一见她就回去了。

回良好

每天随笔见不是见么——真人有什么好看的——昨天头剃坏了——先用三寸刨子，后来摘了刨子清洗，忽见头顶一撮毛，拿推子直接上头，铁嘴钢牙中间开了一道沟——索性剃成中秃——跟浮世绘里旧日本店小二似的，站哪儿都驼着背，见人就想点头哈腰，就差肩膀上搭条毛巾了。下回剃一清朝头——前面剃光后面不留辫子那种。

问北京交通当局

——机场高速上三环那条道上的两个坑怎么还不填呀——眼睁睁的——都两年了——有钱重铺机场高速轻轨飞架蓝天没钱填坑啊——您们别逼着我往坏处想你们——嫌瘦不接活儿是么——怎不雇个人每天巡视一下路段，哪儿塌了该填该补——就这还迎奥孕呢？——我们交那养路费都干吗了？

原来日坛公园路口、朝阳公园路口、长虹桥路口那些个坑老不填我就断你们有贪官，果然有——现在该改改了——吧？净瞧见来回铺便道砖儿了，粉的吧，绿的吧，原先那灰白的怎么了——不就是地砖么？非铺得全城跟窑子似的——吗？

道路法还是什么法规定——

以保证道路的畅通为首要目的。——那些减速墩——杠——铁杠——算怎么回事？——全世界也没见过给自己马路上绊马索的——安摄像头啊——照死了罚呀——不就是想创收么——别来这点农民对付鬼子的招儿行么？让人笑话。

我交的养路费都够养一个路灯的了

——路灯要拉电——节能——咱安一四道破赛路牌成么——我出钱——给咱中央别墅区楼口都支上——要不怎冒充加利福尼亚呀？——公民能自各捐钱安符合交通法规的交通标识牌么？——要不你们不作为啊！

我靠——有超过光速几倍的能量团甩出来

——人类的认知真可怜。

抵制虚假新闻要从娱乐媒体抓起

——那些娱乐版的策划人就是假新闻的始作俑者。

今天翻了翻《红楼梦》

——果然啰唆。以今天无一句无新意之严要求，开篇太多陈词滥调了——前五回顾此失彼处处可见斧凿痕迹——可见素材太满，修改过繁，自各掉进去了。——由此可见红学家太八卦了。

……今当运隆祚永之朝

太平无为之世，清明灵秀之气所秉者，上至朝廷，下及草野，比比皆是。所余之秀气，漫无所归，遂为甘露，为和风，洽然溉及四海；彼残忍乖僻之邪气，不能荡溢于光天化日之中，遂凝结充塞于深沟大壑之内，偶因风荡，或被云摧，略有摇动感发之意，一丝半缕误而逸出者，偶值灵秀之气适过，正不容邪，邪复妒正，两不相下，亦如风水雷电，地中既遇，既不能消，又不能让，必致搏击掀发；既然发泄，那邪气亦必赋之于人，假使或男或女，偶秉此气而生者，上则不能为仁人为君子，下亦不能为大凶大恶；置之千万人之中，其聪俊灵秀之气则在千万人之上；其乖僻邪谬不近人情之态，又在千万人之下；若生于公侯富贵之家，则为情痴情种；若生于诗书清贫之族，则为逸士高人；纵然生在薄祚寒门，甚至为奇优，为名娼，亦断不为走卒健仆，甘遭庸夫驱制，——如前之许由、陶潜、阮籍、嵇康、刘伶、王谢二族（嘿嘿）、顾虎头、陈后主、唐明皇、宋徽宗……近日之麦当娜、迈克·杰、艾未未、刘索拉之流；此皆易地则同之人也。——《红楼梦》二〇页。

王：再怎么说，没战争、没饥荒，也算承平日久——久隆法子。看《红楼梦》可以败火。当西瓜，一牙丫切着——消暑。

四四页：雨村骇然道：原来是他！

——“骇”然用得准——潜意识印证了果报。——英莲事。

回李扬

还有人说我和王菲长得像呢——我没觉得——我哪有人家眼睛大啊！（当年王吧服务员卧底语：太好看的大了和著名的大眼儿小赵搁一块儿比）。

不好意思——也许是劲儿像——老徐讲话——你们俩都一副谁

也不尿的样子——当然我玩得有点过。——我干脆叫王过得了。

又：我其实是一大众脸。半辈子老听见人说：我跟这个像那个像了——夏刚、王小山……简言之：没个性。

换言之：气质压倒一切！

我一胖，还像臧天朔呢

——还像叶大鹰呢。——i 穿大裤衩子——剃秃子。

突然发现《资治通鉴》里有小说

——是给皇上编的教材。——我还当信史读呢——司马光这孙子！

司马迁的殷本纪与甲骨文那么吻合

——可是那会儿甲骨文还没出土啊——他是怎么知道的——还这么详尽？——莫非还有别的文献——哼不是传说吧？

从前，我大了时候

会不由自主说一种怪腔怪调的话——我还以为是山东话呢——前天重新学习了一下古汉语的四声——发现是古腔——把平声念成仄声——嘿嘿。文化的演进真是一层薄薄的面纱。

还有人大了的时候说英语呢——特别流利发音标准——我就不提名了。

真怕哪天冒出一口广东话——那样我非拧巴死不可。

回良好：还有人说我长得像围脖呢——

还有人说我长得像丸子呢。——还有人说我长得像八不呢。

回虚礼:我还恨自己呢

——我还严重讨厌自己呢。

说实在的,当初我为什么带一半天使反上帝

——就因为瞧不上它那副吹牛逼的样子——喝,万军之主!——弄一帮人顶礼膜拜——至于的么?——您还需要这种吹嘘——您是上帝么?——魔鬼自白。

尽管你完美——我也要反对你

——这是我权利!

你们不许信别人——只许信我

——这话说得——呸!

我是黑暗之子——但是

我不准备和你们那些事儿逼的光明之子决战了——我臊着你们——看你们出洋相——嘲笑你们。

如果你是尿床鬼

——可以免服兵役。——我新兵时中队退了两个兵——i 个是独生子女父亲去世——i 个是尿床——上铺冲了下铺。——我也尿了一次,是午睡。第一次实弹打靶——怕紧张,吃了片安定(偷偷带的)——以为镇定——结果昏昏欲睡,焦点模糊——打了个良好而不是优秀——这就叫鸡贼。——回来郁闷地尿了床——幸亏没脱衣服——冬天——棉毛裤、绒裤、毛裤、棉裤——层层吸收了——

没洇床单上——阴干了。——就闻着骚了。——穿那么多裤子我都纳闷我怎么迈得开步——每天夜里还紧急集合全副武装跑十公里呢。——回来嗓子这干——冒烟儿——全团——新兵团没水喝——我们那是即墨县南泉公社——谁打齐国火牛阵田横什么的历史名城。——后来我都得大脑炎了——要不还能聪明——我智力测验是白痴。见一女的太难了那时候。——县文工团过年劳军留下的印象是女演员腰都够粗的——哼是推车推的……夜里放游动哨，看见团长——抗美援朝老兵在我们中队炊事班喝小酒——我们叫喝兵血。

回虚礼：你对自己很满意么？

——当然恨自己不近人情。——周旋不够。

昨夜想了很多假装至理名言

因为贪玩没及时回来，现在全忘了——就剩诸葛亮了——慢慢想吧——想通——明白的就不会忘——总能啪嗒跳回脑海——也不知神马时候。

想起一条也不是至理名言了

我和老徐的博客的区别在于我是肺腑之言——她是一种无奈的生活态度——我这算挤得她么——反正她也不会真跟我急——我真是一个自我感觉超级良好的人——所以有时洋洋得意之后也觉得自己特讨厌。——但是老话说：肺腑而能语，医师色如土。

刘索拉建议我练电贝司

当说唱艺人——她愿意当我的音乐制作人——我看行——我要

改玩乐队了不会是对所有歌手的冒犯吧——咱有条件啊——自个儿建个棚——进棚一年——i 年不成两年——词没问题——怎么也憋出惊人语了——这是咱的强项——曲儿——改编呗——天下音乐一大抄——我不怕寒碜——最多是和他们一边儿次呗。

回曾振江:转世即便记得

——当年的所爱之人都不见了——空留景致有点熟——没情感附丽——也无非有点纳闷——胡乱生些感慨——记得和不记得一回事——都成奇怪的梦了——找到当年的人才有点意思——我这么胡想。——注意专跟你过不去的人——i 般今世都成冤家了。

回琳琳

——不识。准备找人学简谱呢——现场直播——到时候——刘索拉说不识也无所，会哼哼就行了——要的就是不靠谱的范儿。

昨日蒙一小孩赠送贝司,弹不出声

——同来一前奥运冠军还是小孩，听她述说队中遭遇，心中大怒，但我向孩子保证过了，现在不闹事。人孩子真为国家着想，说奥运前别给国家形象抹黑那么多人反对咱们办大会呢。相约奥运后——明年热闹过——替她讨个公道。孩子是为国出征啊，落下伤病也是为国负伤——跟荣军是一回事。肯尼迪大言不惭说：不要想国家为你做过什么，要想你为国家做过什么。这是对强者——他的选民讲的话，到我们这里得倒过来——送给国家：不要想人民为你做过什么，要想你为人民做过什么。

我跟孩子讲：还不要说你有功，你就是生下来就是残障，对社会一点贡献都没有，国家也得管你——这是国家对人民的义务。——当然有些病态的教练不代表国家纯属个人变态——犯罪。——更快、更高、更强是万恶之源。

北大著名校友张国焘在四方面军大杀知识分子

——连口袋插钢笔的也要杀。到了国民党那里做了中央委员，特研室主任却说：要注意写好毛笔字，这是招牌头。……第一要大学学历，第二起码懂两国语言，第三还要有占地位的人是你亲戚，提拔你。……只要民主，就有办法。最后这一句还在五四精神里，还不算背叛北大。——孔教根本是反民主的，因为它首先反的是民主的基础：平等——人生而平等。

现在懂了五四时期语言为何多激烈，今天尚且这样死而不僵、不绝于耳，当年孔教势力之大之貌似天理可想而知。

忽然明白朱苏力为什么不喜欢我千岁寒以后的文字

——文字有感性文字、理性文字、灵性文字，他喜欢理性文字。我们文字行坠的是灵性蚊子。

给自己下药算犯罪么?

——以下无。

过午不食

——是呀，晚上还得斗药呢，吃多了该吐了。——可怜这些干起的，循这个仪轨，饿得营养不良。

小说:骇思想

一开初我起疑是十来年前，那年我首战告捷，准备趁机出动，认识点有意思的人。那天我去吃中午饭，走在大街上，天气很好很热烈，不是深春就是初秋，天是金的，都是垂直射下来碰着房顶乱溅的光。街很一般，街一向很一般，堵着街两排冷杉那么高的火柴盒房子，水灰白和暗红，目的是盖墙，透着经脏。景儿丝毫没走样儿，地很平，很多大妈在上面走，一切如往常一样严整，我在平地上一脚踏高了，差点垫一跟头，大白天似乎哪儿关了一盏灯，心里暗了一下，视线跳接天空，就望见天边起角了，再望脚下，马路也有点起伏鼓肚儿，水泥和天空惨白，暗红完全呆掉了。再走就拉不开胯了，再走就在一个锃明瓦亮极其紧致只痕片迹没有广大深圆的铝坑里，不是眼睛看到，是心里出片子，再通过四肢细微感觉告诉我，天旷远很多，大腿锯了，只有小腿，俨然蹲着走路，小短腿一脚高一脚蹬在光滑的上升的弧形上，有一种爬山的疲惫，有一种视野受局促，一种向前扑去抓个把手的企图，眼睛失去焦距，勤快迈腿没有走起来的感觉，像在跑步机上。现在知道那叫心理主导生理，走进自己内心图像了。那一刻就觉得心里下大雪，脚没停摆，还向着早年设下的饭局走去，脱了个壳儿停在大街上，呆在大街上，在大街上张望，觉得心凉，觉得骨寒，觉得自己完全没在事儿里，在局外，白忙，来往的都是一些生人。到东大桥就让车轧了，一后开门212吉普，我站马路中间等着过街，车帆布门擦着我前襟衣裳领子齐着我右全部脚指头很稳重地去了，脚背高，车后轱辘垫了一脚，车上人全体很整齐地晃了一下半拉肩膀，我严指他们，他们停了，发现我没倒下没发出哀鸣，一男孩鼻子摁车窗上像个皮塞儿全扁了朝我笑着远去，就是那种服软儿，不好意思，但是不管的憨笑。我还真结实，过马路一瘸一拐是觉得要演一下，坐马路牙子上拔了鞋拔了袜子，齐脚步丫儿背上拦着一全车整胎凸凹花印，有点皮红，有点肉白，骨头有点轻。俩中青年家常妇女在路上停下来，一前一后，差着五步，张着嘴看我，我被注视了，回头找目光，看到她们，她们很无辜的样子，很不关心街上出了什么事自己为什么愣在这儿的样子。

瞧见了就不能再装没瞧见。瞧见什么了？瞧见没劲了，瞧见自个儿蒙自个儿了，瞧见这里没什么有意思的人，离那么回事还差得远呢，早早就圈儿瘪了，胎扎了，早早就没事干了，凑一起也就酸着个脸吃饭，也没话，互相挑逗一下，互相勾搭一下，回头互相骂个傻逼。一个都不是。太骇人类听闻了。全都不会。怎么可能？他们丫是真不知道还是怕人知道？真觉着自己牛逼就不必了。真觉着自己师父牛逼死了也牛逼，醉牛逼，跟对人儿了，——出去！这儿没你说话的地儿，这都大人。那会儿还开会呢，那会儿挺有意思，开会净替大哥们着急了，别，别呀，别把自个儿晃了这不是最底线么？把自个儿晃了算什么呀？功利说也不实际呀。蒙人成：我不行了，但是我还想待在这儿，让你们尊敬我，爱我，这成。这理由充分。经常把我惊着：不会吧？不带这么傻的。我是一直想问一直没好意思问：您们真觉得咱们写出过——有一个算一个继《红楼梦》之后？既然没有，对内，对兄弟们就别把小鞋愣往上提了。有谱儿没谱儿啊一个个看着都挺对的？我不敢信里头真有棒槌。那我太糟心了。我别混傻逼队里呀。最不爱听傻逼吹牛逼，吹得特正经，特严肃，那不叫吹牛逼了大哥，吹飞了，那叫您把逼当真了。我先打着其实心里都跟我一样有准主意，表面做人各有缓急。您千万别告诉我，你还就觉得谁苦谁牛逼，你觉得比牛逼就是比动机比操守比国家一时急需。我一特好的朋友，有次一起旅行，私下聊天，口头灭掉若干人等之后留下一人，跟我说这人你别动，你动这人我可就不干了。

我心里喊：不会吧，这么快就把笼子做小了？是流氓假仗义还是这拨人这么说我也这么说，我跟这帮人认同？这要是您的底，过去我还真叫你蒙了，您那是瞎鸡巴说呢，聊这个聊那个都是瞎聊，对不起，我必须认为您学徒期还没满呢，还学生腔呢。前两天吃饭，一帮老炮儿聊电影那几块料，各有各的死瞧不上。后来集中聊到一个题目上：他们是突然变傻的还是一直就傻？结论很黑暗：一直就傻。看着还行的人，还办过人事，还当过朋友的人，一个个露出蠢相，真叫人寒心，连带强烈打击自己清明能力的信心。

实在不像的就不说了，压根没摸着门儿的就算了，天生的戏子就算了。允许有一些塌儿哄，允许有一些蒙事人民很闲在。允许有一些出身局限性格差池必须仗着点人。允许有时代蹄子印烙铁印。允许青春过不去就觉得小时候好就不长大年夜饭忘不了。允许念书念的就是这碗饭日后还真把这碗当饭了，有年头，有感情——否定他就是否定自己；有饭票，支持您登堂，支持您入室，荣耀了您，膝下葱茏，心里也早悄然认了干爹，还是见滴水思涌泉，您叫涌，他就叫泉，你们俩是绝配，是二踢脚，一响在您手上，一响在他身上，是条汉子。允许。

允许儿子为老子张目，一家子么，吃上老子的最爱聊老子，好像他和老子多熟似的，听儿子跟老子很熟，从小就常走动，都知道，都在，都去过，那亲昵的口腔，那全名冠社会惯称的第三人称，间或轻轻底笑起来，那半脸施然的笑意，鱼尾纹，十指交叉间透出的淡淡的对故人的怀念，和特别正式地沉浸在回忆中，我都要疯了。但是允许。

允许把叔叔大爷说成一般牛逼。一般牛逼还不行么？已经很好了，没降低他们多少吧？您现在把老人叫起来，老人未必有你这么胆儿壮。最牛逼，能慎重一点么？我请求哥儿几个，条件要都够，都满足，都达到，一条不能凑合，那才叫最牛逼呢对么？我不算瞎说吧？您千万别告诉我，你们其实挺能凑合的，够一条已然很牛逼了，已然很添彩儿了，已经很不易了，其余还一门不门呢。咱不能向下比吧大哥？我没觉得你心眼诚，待人宽，我起根儿怀疑你了。

我入你们这辙开始还真是有点轴，还真是信过你们，觉得假话不代表你们，现在我也愿意信你们，写在纸上的字不代表你们，你们不是崇拜者，不论被窝还是心窝都没睡着一具偶像。你们不是奴隶，不论人身还是精神上，当然我希望你们连真理的奴隶也不做，但是做，想做，爱做也没关系，咱们可以不到这一层。你们是求知者，你们心是自由的——你们不是么？你们不会把喜欢、爱戴、尊敬、感动当成价值观。你们同意最牛逼除了基本价值观没毛病还要专业难度，技术打分，要完美，全球范围的无与伦比的完美；要回溯整个书写历史，跟最高的比，不是就近比，就着黑比，跟锯人比。要满分。

你们同意人吃人的时代必须一去不复返了。基本价值观必须首先讲这一条：不基于任何理由蓄意剥夺他人生命。这是咱们能踏踏实实坐在一起的前提吧？这是社会契约吧？你没生下来当场自尽即表明你已经签了并同意信守这份契约。信守所有人的命都是要紧的，所有野生大动物的命，姑且不论家畜和昆虫。你要吃肉，我也要吃肉，但是不带把人说成苍蝇的，因为咱们还没大到可以不拍它和其他小飞虫也能过得很好——说来说去咱们得先过得好对么？我同意，人优先。先不聊这层。

只会照顾自个儿身体，只自己和自己瞧得上的那伙人配活在这个世上，我要说这是野蛮、蒙昧，有人反对我吗？宣扬仇恨，最正义的仇恨，也要立刻出局，这是游戏规则吧？这是道德吧？最低道德吧？这是死坎儿吧？炫耀杀人，杂耍式杀人，图谋神话，攀杀美丽，杀得色儿艳，杀得光嫩，杀得颠三倒四，杀得如痴如醉，杀得蔚为大观，应该是另一回事吧？应该是兜售怪力乱神声光电色锻炼小孩刺激反应能力那部分的吧？是游乐场系统的吧？是电玩系列吧？是体育吧？奥运会到底努没努进去？人带你玩了么？你那么多不上台面的招儿，都是你师傅自个儿攒的，人让你使哪招不让你使哪招啊？人各国运动员学得会吗？人愿意学你愿意教吗？招儿都公开了那还叫招儿吗？回头你再让人一脚踹下来。

你千万别告诉我，最牛逼就是最会拍唬儿童，最招小孩待见，最多老小孩喊舒服，咱不是选劳模吧？咱们是成年人游戏我没猜错吧？有意思么假装会武艺？我也不要最后把唐老鸭选出来。说说行吗？说说行。一边说去。

最能影响并且改变别人命运的幅度也不能是这里的标准吧？不安于烹小鲜，一心要将梦想付诸——加诸全体治下小民连自己一起推出去索哈的政治家改变过最多人的命运，德意志有世界纪录，咱们过去也有世界纪录，咱们再有志气也别跟他们比了。这个不能做硬指标有人反对吗？

咱们有分歧吗？咱们出身不一样，背景不一样，历练不一样，各有各的路数，各有各的曲折，各有伤心不能碰，各有衷情无处表，各有私恨在远方，大方向大目标应该是一个吧？碰到大目标，各人的奸情应该让路吧？咱们是仇人么？真能说是互相开骂把人骂死了有这事么？我不信你们不是我想的那样。再多人想祸乱我，想让我误会，说你们确是傻逼，打成什么样，打成一锅西米露，我都不信。我心里一直有一块没动，连风都没刮，连丝儿都没起，一直相信你们，相信你们跟我想的是一样的东西。我不说，你也不说，咱们从来不提，甚至私下用词不一，但是心里都知道，都明镜似的，不可能误会。表面架归表面架。心说你们看热闹的懂什么呀？你当我们都跟你们似的？挑事儿也轮不着你来挑呀。我没想错吧？我没自我感觉过好吧？有骂急的吗？有骂急的，不是朋友。急了活该。

但是那时我还以为人眼看到的就是全体。还以为人、人这一类、人这一生是唯一有知觉的经历。以为生命活动就是走出去和社会人群发生关系的那些行为和交谈，那些吃饭和性交。心里有镜鱼有魅影没点灯，煤眼都是堵的。以为写作就是记录这些人群这些天的活动留下只言片语让后人瞻望。以为这辈子就是让现存人类都知道我。以为五千年就是历史。万年就是永远。以为不朽就是石头刻字。我想到两千年，太远了！那年我才四十二，一定有大事发生。我想到的也就是本行业的嘉奖。我写了一牛逼小说，也确实牛逼，多么牛逼怎么牛逼去都想好了，内容是什么不大清楚。我没走多远，走得也顺胡同，随便一胡噜，拿下一干人等，但是把不正经都卖光了，到 91 年就车轱辘话了。我别呀，我对自己要求高点行吗？我这么年轻我能再好点吗？但是不知道怎么好，好到哪里去，还有什么新鲜的？先毁人吧，闲着也闲着，先跟老同志同归于尽，把两边道扫扫，发送完他们我好得一清净细琢磨写什么，至少偷得十年闲。小孩先放他们跑出二百米，不信他们能跑出高粱地。我不是坏么？我不是孙子么？当时我以为我聪明，其实我还瞎着呢，作为盲人取得一点成绩，就想作为盲人取得更大成绩，取得残奥会飞碟射击冠军。当时我在黑纸上泼墨画乌云乌鸦图，挤鞋油挖煤窑搞大型浮雕非洲之夜，玩得好着呢。之前未成年，之前写的是小孩，小孩有点不服，也就如此。

所以那天搁街上了，闪街上了，生活忽然丢转儿了，蹬不动了，过不去帧了，前面好像是一条瞎道，后面经过的也是一条瞎道，心里盼的，宝贝的，躲屋里臭美的，大家心照不宣的也是一条瞎道，只是似乎有点亮儿，有点反光，有点刷漆，有点不锈钢，有点橘黄，有点紫里带红，有点看着软，有点夹着舒服，有点一抿心思往前冲，有点收不住，有人推，有人挤，抿得慌，控得慌，囤得慌，淤得慌，夯得慌，炝得慌，醋得慌，嗖得慌，空气在稀薄，四周在起皱，在做苦脸，在大粗红脖子，在栽巍，在得嗦，在过电线圈，整筒结块儿，中心联合线坐着一汽锤，已经落下去加压了，杀得慌，说话下回就弹上来……巨寡欢，巨失措，巨张皇。

第二幕在新约，天上飘着鹅毛大雪，昨天。世贸中心还没炸，双塔周围那些楼还很整齐，有错落，有梯次，如同一整体巨大的宫殿的层层变化。颜色也很搭配，有奶酥白，有芭蕉绿，有威士忌金，有山楂红。我演一个瞧什么都新鲜，大冷天立四楼小铁阳台上仰着脸使劲瞧，穿个皮夹克，头发盖耳朵，脸挺宽，嘴皮挺薄，那么个三十多奔四张的亚洲游客。

这就是自由据说？我心说，找那女的大高个去，怎么就没人管了呢？大个女的远了个不高，近了看不清脸，进去跟上楼一样，出来跟在山上一样，还是高，还是远。在她大脚指头跟前留影，我差点叫入海口刮来的风吹疯了。但是所有人都劝我别犯法。

当年据说思想解放，能公开讲中央人的黄段子了，我觉得我们实在是太自由了。有一老外说，你们没见过自由，你们离那儿远了，现在跟你还就说不清楚。反正我也是除了政治诽谤还能高到哪儿去？这是最悬的了，这都让说。老外后来走了，跟我说，你出国看看。我是不爱动，冒充一切有兴趣，根儿上也是世界话不灵，出去犯憷，再叫谁把我闪大街上。做的梦都是山的东方玻璃大庙就是外国了，一着急说了中央之国话，哎，人还真懂了，合着鹦哥力士就是说乱的中央之国话。另一个不耐烦是兜里没洋钱，出国得套着外邦人说你瞧得起我，想我，非请我家去，保吃保住，我还就爱掏这份钱。我觉得挺不好的，虽然我也没富过，讹着人家请自个儿，吃人家拿人家的，我觉得那算接小钱。这不是吹牛逼啊，确实有外邦每年有钱请穷人来瞧瞧热闹，也请我了，我不能说我因为没钱出不了门，人还就怕你拿了这钱觉出寒碜，假装这钱是欠你的，该你拿，盼着你拿，不拿不高兴，不拿跟你急，还你钱成吗？你说嫌少就有点骂人了。我只能说我对你们那儿太仰慕了，第一你们那儿，第二他们那儿，都不大敢去，都是天堂样板间，样板间不能随便去，去了失望了就没的惦记了。那外邦人说我是民族主义者，这也是瞎猜，搞政治的老外只能想到这一层，他哪儿知道我是怕寒碜呀？或许他认为我很政治？他们有一拨老外是让义和团给伤了。我也别解释了，那时候也不大知道民族主义是一寒碜，就是觉得我不是，我没那么爱国。我发现我是满足之族，有一些血脉，就开玩乐，早瞎了，让你们丫串了，跟岳飞死磕，我们的大英雄是金兀术大元帅，秦桧儿同志是伟大的国际主义战士。开常了自个儿有点当真，恨铁不成钢那劲还就淡了，越看出这国家跟自个儿没多大关系，也是聚合来的，屡聚屡散，种儿已经很乱了，其实一帮外来人，掌自己当地头蛇要求，打散就打散吧，没两年又出新人了。十几万人就能打散，真够新鲜的。

但是不去老有人给你上课。没去过美丽的国家吧？跟你聊会儿，确实也有的聊，聊得我对美丽的国家都很熟了，但是还来不来让人摁住一通乱喷。没听说美丽的国家签证紧啊，飞机都满哪，怎么我认识的人全去了？这儿都不招人待见，那儿被待见回来了，耳根子越来越躲不成清净，一帮话痨，扯着你耳朵说，扳着你脸说，专门上你家说，可逮着一个没去过美丽的国家的白丁了。哥哥气不过，聊申根的就不说了，主要是聊美丽的国家比较讨厌，只能一怒去了，回来可以让他们闭嘴。当然我回来也两年话痨，上赶着跟人说美丽的国家跟这里如何不一样，去过的也告诉，不信你都知道。

这个我准备动一下了，天上动，已经想到外邦机场一个字不认识，走哪扇门啊？已经在梦里惊醒了。结果去请护照，没请动，人不让走。托儿说给你丫边控了。凭什么呀？我怎么了？回家想半天也没想起因为谁。后来怀疑一个人，他被当美丽岛特务注意过一阵，老上我们家去，当点儿给布控了。就甭管为什么了吧，两年已经到了，没续控，护照请下来了。我一发小儿带我先出去了港澳附近，先让护照活了。我进香的港没觉得自由，进新加的坡没觉得自由，也没干什么，就是看着这帮人不像，还是有点瞧不起橘种人，他们自由？不像。而且发现他们把旧风俗保留着，非常累的很多人都供在饭馆，挺不踏实的一帮人，自然而且自由干嘛老挣钱啊？就这么一件正事，一定有过别的事不让干，只许挣钱这种时候。比只许打架强点，强得不多。很多年后一次看电视片，一位鹦哥语解说人说：他们热衷追求财富。另一位法兰国人说：他不认为对21世纪有什么影响，因为他们没有价值观可以输出。

我当然也有我的上不得台面和个人苦衷，非常不能听整堂广大东方人讲话，感到很多牙在飞，大舌头叨来叨去，唱歌好听有延迟，聊天像一屋子人在嚼铁蚕豆，拿铜头皮带杠嘴，嗡嗡嗡，缸缸缸，声波很紊乱，仿佛天窗轰然崩塌，碎玻璃下雨，很纷扰心绪，听久了脑勺里有一电话铃捂在被子里不停响，一队编钟挂在碗柜里前后摇摆，我愣站大街上，看着过人，过声音，晕街了。

到美丽的国家发现来过，太熟了，全是美丽的国家老片各种镜头，小街小巷，路边树，美丽的国家人那操性，都熟。突出感觉是合着美丽的国家人都跟这儿呢，也开铲车，太浪费美丽的国家人了。我一哥儿们主要不适是买烟也要用绿钱，太花钱了。也是我的感觉，但我就别说是我的了，人家先归纳了。落山鸡有点像通往未来之县。新约还是很靠谱的，也没傻逼似的盖一堆玻璃柱子，两百年堆半岛，比上黄浦还是像多了。上黄浦就别假装是一国外了，有劲没劲，外国人走了，你们倒想不开了？基本上是洋脚跑丢的一只鞋，就那几篮子破楼说。可以不聊了，见过拿自己不当外人的。我对上黄浦印象最深的是和小妞约会在她们家门口，听到低悦的鼾声，开始以为是小妞她爸，渐渐如巨风琴，如松涛，如暗海潮，带余袅，才发——蓦然惊觉竟是周围几条街家家户户发出的呼噜汇成的腔子声。空无一人的街就变态了，就见一纸纸薄墙，一张张叠床架屋的铺位，一具具人形在月光下泛着银两在墙影里沉睡。我掉万人床里了，我进睡客山了。万千深喉咙呼吸得我心神不宁，小妞脸也顾不上看了，频频惊回首看黑压压正在吐气出声的房子，脑子被一句话控制了：人民在睡觉。

个别楼角有点像，冷风烂纸吹一地，我晚上回来，以为人那治安特别不好，见老黑还闪，老黑也闪，以为我是越人。但是自由呢？我一个不会鹦哥力士的人，算是让新约人臊着了，就怕人跟我打招呼，我只能笑，说猫宁也觉得自己是只鹦鹉。我太害羞了，出门看出来了。出门前我那翻译问我你是挺爱热闹的一人听说？我说是。到人家那儿发觉不是。那边的热闹跟这边的胡闹差不多，没那么过，景儿用得旧点，小的们更熟练一点，还是一帮生人往一块凑，往半熟靠，一回有劲，两回有劲不能回回有劲，太多次还是夹生了。我拘在那儿的会场能笑能吃心里不知道为什么到这家楼上来，都挺没关系的，再聊也没关系。后来说为我组织一趴屉，我为衣服崩溃了。我没大衣裳，必须让我像女的那样穿自己的衣裳，要不不去。我干吗非穿得跟你傻弟弟似的，跟企鹅似的，跟没衣服似的？这回干了，为你，人都企鹅似的来了，就你还皮夹克？他们再心眼小点，我都不认识他们我就别得罪他们了。以为到了三不管了呢，结果也一堆事，在家挨骂的在这儿成光荣了？天天想着奔哪儿买大衣裳，想自己是一只含笑不语的企鹅，崩盘了。正好一女的外逃，是不是凤鸟卫视那同名，看几回画面不确定，也没见过几面，是同脸形，我也别瞎说了。搭车一路暴风雪走州过县，被警察拦了若干回，问我什么人为什么不说话，我倒想跟你聊呢。四个轱辘爆了仨胎，两回停住，一回横着呲高速边上去了。大风雪中竖大拇哥拦车，大拇哥都吹硬了，过尽千灯皆不是，一对大眼睛停下，下来一位金胡子吊着一柱蜡烛丝的爷帮着换胎，换完给这位爷二十块钱，这位爷看我一眼，金眼里一行走马的英兰语看懂了：你骂谁呢？我看你倒霉帮你你怎么就觉得能拿小钱把我打发了你以为我是你呢？又算把我臊着了。女生到水牛城就后悔了，旅馆电话告追踪的了，再把我臊着也吓着了，到芝加哥郊外睡下了愣起来了，敦促连夜开车回新约。我是跟人犯了一鸡贼，人说跟我到落山鸡，自个儿有钱，我没接这话，说我也是住人家，不敢替人答应。我别受追杀了，到哪儿都告人在哪儿，这也太悬了。小姑娘，上一半学，闯外邦大码头来了，民运分子家聊天撞上的，第二天就演私奔，当天擦黑儿就演完了。回新约，我那地陪就找我了，说都找到她那儿去了。民运分子挺神的，造反司令这种我小时候就玩现了的都在法拉盛呢，连续几张名片都是党主席上面各种小黑字环球公司总裁什么的，彻底扳了我一观念，非得人多才叫党。确实已经失去战斗力，遭到成功瓦解，用的是苏克对中局的招儿，渗透你丫的，然后告你我渗透你了，让你猜，也确实有猜着的，再猜，还让你猜着，等于亮着牌打。基本每回趴屉回来到家必有电话追，告谁谁谁是特别任务。特别任务就特别任务吧，告我干吗？我不怕特别任务，我还跟特别任务打听事呢。我就怕他不是很清楚，瞎传。人都是好人，都是留学生，国内资讯慢半拍，聊的都是前年的事。一帮站着说话不腰疼的坚决请农民派孩子打台风港湾，你丫都入美丽的国家籍了，还这不答应那不答应呢，你丫怎么答应自个儿了？华尔的街那边的趴屉亚洲副总裁开始多，都穿着黑呢子大衣，我以为到花花世界了，满街吹着黑老鸹。国内消失的都跟这儿呢，我跟大街上碰见我们家楼上两户，看电影散场北方的京城朋友代表一起站了起来。脱衣舞有穿带儿的，有掰开揉碎让你瞧的，瞧瞧得了，都是俄罗斯的。但是自由呢？到这儿成少数民族了，成哪儿都不挨着哪儿了，成聋哑人了，成文盲了，成不招人待见了，没人冲我吹金胡子瞪蓝眼，不搭理你都比国内态度好，但是，我觉得还是像大老远瞧人家挺好，说是串个门待着就不走了，你们家吃什么我跟着吃什么，你不是流氓假仗义么？你不是不能让人挑理儿么？心里嫌弃——人家。老太太尤其管不住自个儿，你千万别一步走错，没踩进斑马线就冲上来一通胡说，类似你到这个国家就要守这个国家规矩。我靠，你丫可算是一大国了，自有地球转动以来你们可是一强国了。我长这么大还没让人这么嫌弃过呢，至少没让我当面赶上，当面递戈那是经常。那会儿我还有钱呢，花钱还不眨眼呢，后来成小气鬼了，请人吃饭也是个事了，二十美也成巨款了，这我就不说了。坐吃山空的人，聋哑人，赖在人家的人，我净剩下举步维艰了，净剩下盼星星盼月亮了，到落山鸡已经一身老华侨的风霜了。看《喜相逢》已经懂得心凉了。去国八万里，下一句没有。千万不能放中央之国小调，特别是女民歌和那缺德的二胡，再湿透了，挺不开面儿的。你不能说我自由，我也不说我独在异乡为异客，谁请你了？你不是自找么？你也讨厌自个儿，别人也讨厌你，我一残疾人，满嘴飞的不是人话，各种台风港湾惯语个别鹦哥语单词。我是真为了显得我接触鹦哥语了。被中央台在这儿搓局的一孙子恶笑一番：母，闻着香。我靠，我不就说了一 UCLV，你丫就笑成那样，你根红苗壮，你北方的京城口音，你专逮二锅头。国内这帮孙子真是穷家富路，把美丽的国家想有钱了，我刚降落，也这操性，敢情不都是天价，真天价你还真买不起，净顾着跟美丽的国家居家过日子的人比手上有活钱儿了。中央之国人，真不能让他太尖儿上去，别人都甭活了，这才哪儿到哪儿啊？已经我们都舍不得花钱了，已经我们华侨都很抠了。我怎么那么倒霉？在这边告我不自由，在那边告我闻着香。

斜插美丽的国家一角，我已经发觉我不大对劲了，已经没往正常人伦关系里放置自己了，再次和一文弱姑娘一路，一路住一屋，再次秋毫无犯，轻轻上床轻轻合眼自个儿瞪着被里直到全黑，一点声儿没出跟直接闷死一样，我觉得特失礼，对人严重不尊重，哪怕让人撅回来呢。已经不是我了卷蒙大裸毯子里这人儿。气门芯让人拔了，不会了，弱势了，不敢了，全求人——你才爱热闹呢！我们租那车里有两盘中央之国老流行，可能是那谁带的，放了一路，听中乐看美洲沙漠，直到四眼发直扑向前边那一群滚了几个时辰了的货柜肥屁股矮轮子，直到冲下高速公路冲破铁丝网陷在一片软泥里。强大的落日戴上墨镜仍然极其晃眼，下原野开向另一条山脉就像从一条带子这一头荡到那一头，山谷下永远是一块块褐黄和一行行墨绿和一星星灯光。城市永远都是远在天边的火盆，天越暗火拢得越旺，暗红如烧琉璃。

那会儿我还没湿过呢，已然觉出失魂落魄在天涯是指什么了。后来全湿了发觉还不一样，失国没心裂，只是肝抖得厉害，谁也没撵觉得是让人撵出来了。痛恨当时管事一孙子，建议发他到内华达拉斯看门，不要碰他，但是必须讲部里的故事，每天挣一堆一美元。到落山鸡，听说新约那帮跟我码了，也不假装见人和气了，让我一定给他们个理由给他们个交代讲清楚，没这样的。昂，走还需要说一声？我完全没准备掉一堆周全人礼貌人里头。我来一般打招呼，进来人了，走，你们打着招待我甭招待了，给你们省钱了，我还一一点到我可给你省钱了？您再留我？我能说我这是吓的么？黑着走我管这叫懂事。噢，你到北方的京城去，我给你找一大帮不认识的跟你逗一晚上，你必须穿棉袄，也不是今儿也不是后儿，也不是大后儿，是没准儿，您租间房住下等信吧。唯一好消息是不用你花钱，我花钱。我怎么那么爱让你花钱呀？

翻译老先生大老远开车上门，把我堵西哥一条街紧里边全落山鸡最破的花园子门口，撂下一句话：你能拿我稍微当人么？差点没噎死我。我这是奔你来了，我还让你寒心了，我怎么那么操蛋呀？谁还在背后说我了？说我就为耍那拿谁都不当东西的范儿。人老先生可不是有点含糊么？你了解我么？在国内咱们熟么？你又懂了？

我知道我演谁了。我演一在中央之国挺牛逼的人，在这儿也没特拿这儿当东西，有我的呢，我就拣一手，加一磅，图个到哪儿都有面儿，没我的呢，不带我玩，我还不稀罕呢，我是办大事的，我自个儿根子深，我还谁都不大爱搭理——饭你们都别乱请我，不缺这口儿。

我每天在一罐子里游泳，很大的罐子，也只能游圆圈，每一把都是拽子那么斜着扒拉，直着去第二脚就蹬壁。刚去我们还在游泳池边开趴屉，都是北方的京城路过的，现去的，本地的也就早十年早二年，在国内不是一般熟。后来被我吃掉很多顿饭后期一个主要趴屉据点的女主人，一位很好的女士，一扭脸掉游泳池里了，掉下去才发觉深，人破浪笔直沉底，再往上一蹿，上边七八只手没捞着，上来当然全湿了，尽管夏天——好像不是夏天诶，是春天——春天也不像个样子。他们丫还玩北方的京城那坏，叫一白女的打电话说是白房子的电话，克林顿，那会还是克林顿，——知道了，克林顿不干了，克林顿说这哪儿成啊，上我们这儿来也不说一声，别显得我们都不知道似的，你不动，我动，我去你那儿，今晚上屋外有人有狗有枪有人扒窗台千万不要惊慌，不要摸枪，你们家那条街已经被联局临时接管了。

关键是他们非说我们住这屋的都信了。这才是他们要编的真正瞎话。我那褥没不知道北方的京城那点坏，叫那女的英国语蒙了，真是一白色人在讲话。我能不知道么？我叫她们骗多少回上饭店等人。克林顿怎么那么闲着啊？有不知道的行么？你下回再让我信，你说警戒纠察找我。

北方的京城这帮孙子散开玩去了，都有事，就我没事，我本地人，哪儿都不爱去，天天泡水里。落山鸡玩的都是小孩玩意儿。三街完全是一堂景儿，灯打得雪亮，一帮群众演员在那儿假装卖艺一条街，一中央之国杂技团的演员完全是一穿帮。进一酒吧一帮糙人回头瞪你。天天晴天，你能说这不是棚里灯打的么？花儿也四季不谢，红就红个死红，黄就黄得烂熟，白就白个白不呲咧。西哥很概念，老中很概念，老韩很概念，老日很概念，老白当然更概念了，一脸我允许你住这儿，我一点没往心里去，你一看也是人，我还就先当你是好人了。侨民还是很仓皇的，不爱跟不熟的聊老家那点事，可是不聊我还真不知道你有什么事。我有体会，我坚守外人骂本国不当卫国士，谁说出国就一定当爱国贼？但是外人也有很多是听说，你不搪两句，你不忍看他成二百五传闲话的，又一老实人成缺心眼了，沾包倒在其次。是，我们那儿是挺操蛋的，操蛋很多年了，但是你要说准了，谁操蛋，怎么操蛋了，到底为什么操蛋？不全懂别乱开牙，你不是擎等着让人噎你：你们就一点没干过操蛋事？成抬杠了，成交互揭短儿了，成都不是东西了。所以棒槌最好什么也别聊，聊什么都不在点儿上，梗着脖子净给国招骂了。——棒槌就是觉得自己什么全在点儿上别人全不在点儿上听风就是雨一聊还爱急。还是南方人那句——是南方人吧说的？说得好：别一竿子打翻一船人。

美丽的国家其实是个法网很严的国家，各种权利对人民的牵制控查能力比中央之国要强很多，记住你一次就永远记住了。走路要小心。ABC 也挺概念的，都是橄榄脑袋，睡那空心枕头睡的，脸都挤成小窄条了，平平展展不可能。关上门瞧街坊，必须说咱没那韩日人长得瓷绷，都捶扁实了。中央之国人，我认中央之国人就是这哥儿们别看抬头驼背，挣巴得一点褶没有，一走路一投足，也不知哪是乱的，也不是头发也不是脚下，也没风，香港商民演英爵演多像啊，唐人街老华侨演聋的传人演多好啊，还是也不知哪是乱的，一小块毛玻璃藏寒毛飘飘戚首鹅步背影里，你没认出他，他先认出你了。

很小我就知道北方的京城不是本主地，是落脚点，养育地，是客乡，是暂居，长大了要出发，去谋生地，去使命地，去开始真正的生活，建立自己的一堆事，那时也没什么归宿地的概念，但也含了这层意思了，走就真走了，一去不回头。不是我乐于幻想，大人教的，必由之路，每个小孩念完中学都得走，去外地扛枪或扛锄头。我上完中学去了青的半岛，对这个地方很满意，有山有海，姑娘也美丽，准备在这个城市定居娶只仙鹤也不算埋没我。很多年后看宫崎好马的动画《魔女宅急便》被自己的过去触动，那个在满月之夜骑着扫把离开父母家寻找自己城镇的小魔女勾起我很多回忆。当她飞临一座浮华的海上城市，就像我第一次看到青的半岛，说的也是同一句话：我很想住在这里。就不止是亲切了，是会意，是猜到了，是心心相印的欢笑，我和小魔女都同意未来之地应该有海，有一大块没人，比人还大，可以放眼睛。但是，我是注定站在岸上羡慕鱼，注定在北方的京城这个阴晴不定的城市度过一生。但是，我不想死在北方的京城，死在北方的京城太可怜了。我要在热带海边终老，不穿衣裳，穿一条大裤衩子晒红膀子，终年四季下海，终年眼里有花，躺在床上就能看到海，看到红花，我想带着海浪和红花作为最后一线印象离开这个世界。面朝大海，春暖花开，别人把我的心愿写成诗了。

但是，我来过了，我赶到海边了，水倍儿凉，玩板儿的都穿得跟棒棒糖似的，三点大腿晃着上千膀子油假装进了水假装亮晶晶在海边晒膀子，花儿都是铺街纸，老是开的，冬天也开，想不开都不成，必须开，让人看，让人心情好，不许埋怨环境，让人不想家，让人当天堂，让人在明天，我都到明天了我还干吗呀？躺下等天黑？面朝大海也没什么新鲜的，大海也是在那儿演深呢，演拥抱呢，演博大呢，演无穷呢，演故乡呢。你丫别演嘞！

我朝大海喊。你丫都四张儿了。招谁惹谁了？四张儿了。我没四张儿，这不是我喊的，我三十多，与小四张儿了，这是他喊的。我们在万里赴戎机的美军保卫下表演涮羊肉，肉片有点不靠谱肉片有点没膻味，与小四张儿了，都快哭出来了。我没哭，我正琢磨着和人开窑子呢，我快开窑子了，一东北人，说新落地一批北方的京城护士，租所房子，干一秋，能弄十万八万美子。十万八万紧紧能活两年，这是没让人逮着，没让人发现，万一逮着了，万一撞上熟人？我不歧视性工作者，这要我自个儿去卖，我没非说光荣，也是自食其力，我不怕人说。问题是在大陆叫介绍容留可能还有组织妇女，这有点，操，我还没那么想得开。我来这儿没想干这个，我不是冲这个来的，当一大茶壶。我冲什么来的？我看见天上一直升机忒喽忒喽转着一电风扇，老跟天空盘着，天太深邃，怎么也开不过去，一上午都跟那蓝渊里较劲呢。我猛然发现我跟自己较上劲了，本来平卧忽然两头翘有点仰卧起坐的意思。这是哪儿啊？回头一片板房板墙，墙外长着很骨感很风骚高高摇着扇子的棕榈还是椰子？看哪儿哪儿生，看哪儿哪儿不熟。熟就不是一般熟，大峡谷像黄色的山，也有几棵歪松。十七公里像北戴头上的河，一节节纸房子趴坡上，柔若无骨，都关着灯。五号公路快到三藩市我要瞎说我是孙子！太像河的北方了，一望无际巨平坦四面八方公路南来北往小车，线条都很简素，很放率，很苍白，像未刷墨的版画，未完成的石刻，未上色的年画底稿，一截截混凝土杆子，蛛网一样爬在半空的电线，差一点就看见马车了；一支支杨树——是杨树么？太远反正都跟栅栏似的；一座座小房，不能再多聊了，再多聊就不像了。但是太像河的北方了。出通往未来之县进河的北方，气死我了。倒不是说不能进河的北方，问题是我没必要打着飞机的跑一万多公里进河的北方一趟。

我来这儿干什么？我仰在美丽的国家通往未来之县地上望天庭里一滴直升机，这是已经过去了还是又来了一架？我在地上觉得醒，觉得很静，从很久一连串断篇儿中醒过来，说苏醒有点过，但确实像去世后醒来，离原世界很远，在不可及的地方，崭新的地方，一切都很新，天很新，树很新，人也很新，色儿有点艳，有点多，有点粉，有点黑，有点蓝，有点金，话有人家这儿的话，字有人家这儿的字，过去的全不算了，一切从刚生开始，重新认字，重新办证件，重新打预防针，我就不说一会儿来的全是生前失踪的朋友了。

才想起自己有前生，前生在一个叫北方的京城的地方，才把忘了的人都想起来，才想起前生没过完，人还都在，还在那个很旧的大陆，很老的城市，红砖楼，满街人，在夕阳下回家，站在阳台上看西山，卡车压钢板，包饺子过年。两个东北人演我爸我妈，还有个哥哥，还有个太太，有个圆嘟嘟像个水滴儿乎就要从下尖儿上滴下来的小妞演我女儿。小妞走路拦着你腿，两只脚一左一右踩着你的脚，你驮着宝塔跋涉，迈着相扑步伐，小妞在你腿间咯咯乐得大苹果一边长一虫眼，大苹果真香啊，闻着是搁了一夜的牛奶味儿，本来就不能永远在一起还不天天在一起。

那天的心理图像是中西部尘土飞扬的小镇，我在加油，头戴牛仔帽，满面尘埃，抬头望到落基山脉的余晖，想起自己是中央之国人，欲说唐朝话浑然已忘。再一个景象是在云的南方大山里堵车，下来走走就在路边坐下了，再起来已经是很多年以后，忽然想起车，车上还坐着年轻的女人，去找车，才想起已是下辈子后半截。

我是害怕躲来了。第二天早起憋尿想起来了。我看书看吓着了。很多人该走不走看到自己很进步但是没看到深刻的情况。张学平和讲话：还是老粗，要赶时髦。生哪儿就堵在哪儿，觉得自己是棵菜，后来让人给揪了，给起了窖儿了，给劈了帮儿了，给叶都摘了，给改了刀了，给切成滚刀块儿了，给开水烫了，给下锅做了汤了，更可恨的是汤还没喝着，给饿死了。本来米是自己家稻子脱的粒，鸡是自己家养的生的蛋，鱼自个儿家一池塘，猪自个儿家一院子，羊自个儿家一院子，豆油三大缸，香油三大缸，盐自个儿家海滩产的，酱油自个儿家大豆打酱沥的，厨子自个儿家从南边带的，碗专门景德镇烧的，讲究死了！萧来了，请客，伯来了，请客，那谁来了，管饭，你们掐架，饭局归我，就爱请人吃饭，请了挨骂不给好脸也请，有钱。后来给饿死了。我靠！这事严重不靠谱啊。我再让人给王八拳抡死。我再屈不过从了他们，给个台阶就下，没台阶找台阶，找不着台阶找垫脚石，找不着垫脚石铺稻草，还是太高，蹲着下，下没下好，下一倒栽葱。不是不可能，而是很有可能，我决不把自己估计过高，也不把他们估计过低。不让吃饭，没饭吃，我靠，这事严重不靠谱！我吃了一辈子饭，净吃好的了，忽然你给我掐了，说，没了，没顿了，从今儿起我这辈子饭全吃完了，我还活着呢，我还没咽气，我昨儿还硬硬朗朗的呢，凭什么我就没饭了？你们都有的吃，就我一人看着，最后还不定怎么下三滥呢，还不定怎么觍着脸呢，还不定怎么伸手跟人要呢，还是饿死了。让你们笑话了。此，事，严，重，不，靠，谱。我不能遭这份罪。我不当老粗。我走。我没什么舍不得的我可别让人摁了。我太油了，我太机灵了，我机灵成轴承了。我错误地估算了一下形势，于是乔装打扮拐弯抹角溜到地球另一头，在这罐子风平浪静的水边，躺下。卧在这热乎乎麻麻粒粒的地上，看深水潭蝌蚪驮电风扇。我出戏了，我中途离场了，我到舞台后台来了。我是很胆小，很不相信人，很可笑，但是你们凭什么让我害怕呀?

第三幕拉开是海蓝云天扎进一片黄，一鸟瞰的北方的京城地形沙盘，我向大地扑去，忽然大地挂起来了，忽然大地三角了，忽然大地倒立了，忽然棋盘了，忽然草厅了，忽然瞧见公路上骑车的人了，忽然看见楼顶的砖头了，忽然全正过来了，天是天，地是地，楼是楼，跟树枝平行了，忽然屁股底下很远蹾了一下接地了。

开舱门天就见旧了，房子都丑了，大气中有下毛毛雨似的斜道儿，人都是卷着簧的，随时可能弹起来或掉头撒丫子跑。耳朵眼一下掏空了，大厅里闲聊窃语闷在嗓子里的话全听懂了，每一个飞进耳朵的字都是水灵剔透，真有复聪的快乐。一个草绿少尉急赤白脸指着我脚下低头冲过来：黄线黄线黄线。

谁还都是谁。当时有这滋味没成话。很多年后的昨天去一深水游泳池，见到一帮老人儿，正自己撕巴得乱七八糟彩铃儿牵了条洋狗进来，扭脸跟头牌冒出这句话。头牌还是喜鹊，一会儿蹬一下这屋枝头一会儿蹬一下隔壁枝头，跨着仨屋玩。昨天还得了句话，一步步顺着台阶走下去，路边都溃退下来的人体力耗尽的人，到最底层，一池子人在欢舞雀跃——底层很踊跃。打碟的是个黑巨人，我刚进去好儿眼没看见，猛然瞧见一件一晃一晃的银项圈，才发现一排人中空着的那一大块黑是人脸，太像一尊黑天神了，左右俩白袖小子捆一块儿也没他壮大威赫，真是沉郁的乌云般的紫檀色，打得之劲道十足，源源不绝，完全是一列开不尽跑不完的装甲火车，一厢比一厢火力强大弹药充足，之乐观，之勇猛，我在楼上屋里坐着也奋力扒着墙站了起来。我们赢了跟我说，每个礼拜还是应该出来真实一会儿。就都撕破脸说话怎么了？但是说着说着脸又拼起来了。是要每周出来一次，慢慢就掉日常生活里了，就忘了，就严丝合缝了。我跟我们赢了说。我们赢了也不能再和他那个旧圈子的人聊天了，每礼拜一二必须用两天的时间把自己拨回旧社会那个脉动上，刚游刃两天，又周末了。白水从来很安静自己一夜夜坐着，一夜一帮旧社会人来玩，聊他们的快活，白水在一旁掉进了地狱，不敢看这些人，觉得一屋子鬼，飞一般闯黑眼以为回不来了，上楼还吐了。第二天讲起还心有余悸。我夸口说我一般就跟着去，看你能把我带哪儿去，不信你能让我当场灰飞烟灭，最后准在一金色地漏停住结束。

其实是脱离了体系，不在一张网里，他那套话和你这心事打架了。他那是掠着走，你这是拣着走，他是顺着大坝开来的，你是一爪一爪过石滩，他挂着悬索溜，你站在峡谷里仰头。他不过眼，你这都立体画面，他过去了，你还陷在刚才，都是一格格过，白天也带影子，带走廊，带下一间，一个茶碗盖儿歪了都看得清清楚楚。他是蹬着旱冰鞋呢，你是每块水平都坐出印。你说，他怎么和你聊？林林廊廊，社会上大大小小台子都架着杆儿呢。人群大家走在城墙上，你在城根儿哆嗦，城墙上有旗有草，你看见有鞋有脚。

我也早孤家寡人了，本来也摘得七零八落，窗前枝头还挂着几个陈年结下的朋友，真是含笑让我，真是不好意思撅人家，但是再不能再跟人聊旧天了，一聊就冲撞人家。也没说什么人家，就是说点人海涛声，说点往日传来的消息。我的小麦色皮肤的女儿说我，你能别那样子对人家么？我说什么样子？小麦女儿说特别嫌弃人家的样子。我说没觉得呀，我只不过没反应，我在出神。小麦说我都觉得了。有一天我枯坐家中突然大吃一惊，发现我这辈子为生存花的时间太多了。发觉我正从处女座飞往天蝎座。

北方的京城太像一股烟了，太像一望风而逃的舰队了，太像一小偷了，背着一拖网金银铜铁锡块铝块亮着鞋底子往东跑，鞋都跑掉了，漆色儿也掉光了。

每回望见北方的京城，心肠都要又硬一点，这狂城早晚要扒了重盖一遍。阳光像日光灯，只能照白一角，泼半城奶汤，遍地骨架桩子，一根漆绳一根漆绳抡起来呼啦套腰椎间盘上，勒胯骨轴上，一圈绕一圈缠伸向天边伸折了的五翎八爪上。

住沉了一个背景，就印在一窗压一窗的玻璃上，牙都咬进冰壶了，瞳孔瞪进金鱼缸子，金鱼缸子被风袭了，金鱼缸被雪摧了，金鱼被霜挂了，一出门才发觉倍儿大，地界倍儿生，马路倍儿荒，明明认识树还是觉得街不对，马路牙子改了，过去沿砖奔过的景水河子只剩下几处影壁，一座门，几节台阶，半堵墙，一肠子河道，河道已经干了，砌了石块，抹了白水泥，胡同细小。

已经物是人非了但是我不知道。现存实景还是很轴实，平平滚滚一桩桩一件件林立在周围，很小心，很谨慎，其实很强硬，搪着天光，阴着街脸，一头高一肩，一扇联一屏，一屏掩一幕严丝合缝儿，玻璃都被遮暗了，跑在下面狭长，路有点像沟，桥有点像坡，楼有点像断壁，拐弯有点龟裂，树叶有点发蔫，砖头长了皱纹，人都还在原地吧?

女儿换演员了，出桃尖了，眼睛细了，分开了，还能看出长得像，见我闪过有点不好意思，她一不好意思我就知道她瞄到我了。小演员正跟演小阿姨的演员坐里屋地上下棋，我一进去她光笑但脑门一直低着望棋盘。我给她显派给她买的粉色书包系列，她也只是拿眼睛瞟两下。她太矜持了。她一生下来就有点臊眉搭眼，见人多就傻了，警张地搓手，犯很大错误似的，拉她走也不走，一定要在那儿罚站，几回被我强行扛走，在我肩头放声痛哭，也不知什么东西吓着了她，还满身奶味儿呢。她一派来，我就认出她跟我是一头的，是来换我的，接替我打理撂下的一些事安慰我伤的人。就让她多过几年受宠爱的日子吧，多度几年少儿春，日后有劳了。好几年她脸滑得留不住手，像头小熊矮矮墩墩地各屋敲门，非得蓝色小海豹一头栽床里才算上了床，下沙发就像七星瓢虫下雪山，嘴是括弧的一撇，她妈经常痴迷地看她。这孩子太乖了，坐在小车里一天一天一句话没有，从没要过一件东西，打针也不哭只是惊呆了，给只空瓶小手握着就安静了。爹不懂事，孩子就要多懂点事。自小到大干过的唯一坏事就是把我妈的两桶花生油倒门外走廊上，问她怎么想的低头不吭声一脸迷惘，好像橡皮娃娃突然进水了。我初见她还是个肉团就意识到这世上有灵魂，否则从哪里又印了一张寄来？那就像电影里突然有人演你。后来请人查了一下紫薇斗数，果然她的命盘是我的命盘的镜像，我有的她都有，只是时机一上一下，从我手缝漏下去的，她都能攥住，手挺死的。也是和父亲关系不太好，我自小和父亲不合，她自小离开父亲，命盘说走得越远越好。后来她越长个头性格越像我哥，什么事都不太上心，交代几遍了慢腾腾去完成，一次我假装摔门走了，藏在壁橱百叶后看她，只见她一身斑马道坐在床头叹气。走道拖着自己，脚底下有胶，晴天睁不开眼睛，时光悠长就犯困，很恋家，很爱听人聊天，见我实在猜不透就小声提醒我，什么犄角旮旯一卵双子这样的事都知道，时时惊着我。一端上扑克就美得不行，打得不太好，手里穿衣服的牌都让眼神瞅见了。她是天宠的孩子，妈像孩子一样，一点小美就能乐半天。上官园，小狗小猫像点了灯，金鱼水草泡在精油里，妈和孩子一齐走不动道，手欠，粉红指头爱抚人家小灵物，人家允许她们抱一抱就深深陶醉在街头。砖头城里就那么几处前朝皇上家的残山剩水，逛多少遍也一脸一脸惊喜，她妈端一指甲盖镜头东找瘦石西找镜框，就爱在繁花树下留影，指挥小鬼笑，就为老掐人家景坛前养的花让人吼过多少次，还逃，还不认账呢。最可气的是俩女的逛摊儿，为几块钱的东西能在大风中吹一下午吹得膛白瓢紫，盛气走了又诡异着回来了，还演双簧呢。我问你们是打算进行贸易么。她们还是所有动物马戏节目的热烈爱好者，周日关卧室盘床上举着脸瞪电视网叫吃饭也叫不动要骂，推门进去夕红镀窗一个前仰一个后合正在偷笑，稍微沾点阳光半边脸连头发都是金的。

她在现存实景一角忠实地等我。我的家因为有了她才没彻底散。我们现在紧紧团结她周围。我为她活着，她要没了我决不在这个世界多呼出一口气。她从小跟着她妈走南闯北，慢半转儿，住在别的洲。她是吹着号角来的，她是拉着响笛来的，她来那个黄昏我正在月台上，一列引一列，一节牵一节，很多列车在编组，行行叠叠在晚日下，好似无以穷尽的宽敞手风琴。暗绿色的车厢探出一只肩章，两只鹿蹄子似的长筒靴跳下路基，圆圆的笑脸，头顶嵌有蓝珐琅圆徽的无檐帽，胸裹沉重长大的黄呢子军大氅，帽檐和肩披一层长毛的光芒，是一个远方归来休假的女兵，满心欢喜，迫不及待。这是你出生的那一刻，你在宇宙洪流中，受到我们的邀请，欣然下车，来到人间，我们这个家，投在我们的怀抱。你是从画上下来的，我们都是，我们为人之前都是在画中。永恒是一腔无涯的画池，我们是其中一酡颜色，这之后也要喷回画中，所以不要怕死，那只是把越来越大倒放。向天上退去是不疼的，因为你不会撞在一个瓷平面上，是一个没有落点的溅人，每次看，她都在那里，只是越来越小，越来越短暂，是化在里面，晶化浆，你想巩固自己，已经薄版透裂，蒸发酥线，很久很久以后仍是你坐姿的虚线。

有时她自己坐飞机越过天空来看我，她在夜天上航行时我就想，那飞机可别断翅膀，可别起火苗，那她该多害怕呀。想到这儿我脑炉子就死了，就黑墙了，漆煤里那缕火苗就灭了。

一闭眼就是彩陶世界。脑子里有一窑瓷器暗花浮动，一屋呢缎铺，一炉铜亭子，秋阳照耀，一群灰鸽子似的念头振翅飞走，影子依依留在天上。黑玻璃泡着烤焦的百合，花丛屏风，她管那叫蓝。

悟

听坂本龙一有感

坂本龙一这段小曲曾被经典窜子《水门》打在里面，作为华彩乐段。00 年我新飞的时候，还流行窜子，经常在巨大无比时被这段欢快小曲带走，进入美好画面。昨天我小老师来，也神采飞扬提到那时的美丽心情。那时我在盈科中心办“文化在自个儿”网站，每日聊纳斯达克，藏酷饭堂内一票 IT 菁英，高谈阔论，妄自尊大，自进入水门世界，浑然忘世道人心，一听 COO 小记说网站运营事就要吐，幸亏纳斯达克崩盘了，我才得超度。那时曾发誓永不回社会，今番又要自投罗网了，可见跟自己发誓也是瞎掰。

坂本龙一嘘一

始知至善至美存在——因为没有人。

偶感

摇滚女青年和文学女青年没什么区别，拿爱好当个性了。

聊天偶感

社会上多少人疯了自己都不知道，在演正常。

祝贺朋友见本性

何其本性组织严密！何其本性玩得太深！何其本性演得认真！何其本性没有目的？你们到底要干什么？朋友疯逼了——被本性吓着了。

补一：本性何期相因相成。本性何期万源归一。

再祝朋友见本性

放下屠刀立地成佛是要惊倒一片人的。丑恶人格最后表演一把土崩瓦解。之后平顺得跟鬼似的。

三贺朋友见本性

烦恼即菩提翻译过来就是有问题找组织。

一念

谁不进步，坐那儿吹牛逼，就直接丢进人类垃圾桶——我朋友语录。

何谓死亡?

死，就是跟着幻觉去了。濒死，就是一生所有画面涌到眼前，对不起人的，就是地狱；一生无愧，就是天堂。

致老释

关于虹化，你听说过人体自燃么？英国还是哪国一哥儿们，躺在旅馆里忽然起火没了，连渣儿都没剩，房间床完好。国家地理频道播的。

我之佛教观

佛，教，可译为觉悟，教化。觉悟，是通过内观观察宇宙现象，通达宇宙意志，或曰规律，的科学体系。在两千五百年前，无有射电望远镜和电子显微镜的情况下，唯有反烛自己，燃烧自己，照亮心境。炼丹熬药、魏晋狂士未必不是同路人。前仆后继者，惜败于稳定压倒一切的孔家店。前有魔鬼崇拜者始皇帝。

教化就是狡猾狡猾的。讨厌！

悔过的魔鬼宣言

这一次，我不是来买你灵魂，这一次我是来买你肉体，去壳。浮士德。

历史反转儿一

何至弱国逞强呢？强国示弱，弱国斗狠，诚杀人者懦夫也。人因为恐惧而杀人。哪里是刚猛，是怕死了。

魔鬼自问

你完美也反对你，不许你完美！悔过是向善么？善多假呀，多炫耀啊。吹什么牛逼？

魔鬼自问二

悔过，是从善么？大道废，有仁义；慧智出，有大伪。悔过，是妥协，结束战争状态，以民主协商的方式缔结和平。人不犯我，我招猫逗狗；人若犯我，我和人守恒。特蕾莎，耶稣，吾所不及。

增补：孔子是仁义，我是大伪，合称伪善。太认得他们了！

魔鬼自问三

何期人类罪恶滔天！

作家论

悲剧，是把美好毁灭给人看；喜剧，是把人生无价值撕破给人看；两样都是破坏性工作，舍此，我真不知道作家的社会责任是什么了。

正剧，有纪录片。记者。

观世界

三维人间，锃明瓦亮。

文字狱

汪洋恣肆和凝练互为因果，如水之结晶、升华。白话与文言，画面与文字，口语与书面均如是。

得 i 句写 i 句

思想大爆炸，灵魂深处爆发革命，神马秘密也守不住。比你们多一维度。立体轰炸。

食物链反转儿之一

见过牛群击溃狮群，猫科动物跑起来堂而皇之变成仓皇流窜。

听说过人脑合成原子弹么?

妄想之一：听说过人脑合成原子弹么？你敢开枪，毁灭全人类？吓死你！所以无所畏惧各位先生叔叔大爷。

增补：恐怖平衡。

眼开眼闭

小时候一闭眼，都是将军合唱团。现在一闭眼，都是量子流。曾经一闭眼满堂宇宙歌剧。统称彩色世界。俗称眼冒金星。现实要多颓有多颓。

对海德格尔历史观的修正主义

相反不假。但也不尽然。至为威猛也是假装威猛，一张白纸好画最新最美的图画。保不住开端，威武雄壮的活剧就变成悲剧——把至美毁灭给人看。所以正剧亦是悲剧。大到畸形则失去意义。大到撕裂，变为喜剧。众声喧哗则为闹剧。所以喜剧最高级别是闹剧。一体两面。西方人的价值观、基督教系列都是一元论，一定要绝对正确压倒绝对邪恶，不得究竟。

海德格尔，搜狗反转儿：二哥得还。或：二格得环。还珠格格得了。

举例一：旧约上帝绝对暴烈。新约上帝绝对客气。合二为一叫《圣经》。

举例二：shangdi? he? mogui? yi ti liang mian。jue fei duili guanxi。hu wei yinguo。er yuan lü dong。shijie deyi xingcheng, fazhan。yi yuan shengli – rejunheng。shi yao si ren de。(编者注：上帝？和？魔鬼？一体两面。绝非对立关系。互为因果。二元律动。世界得以形成，发展。一元胜利——热均衡。是要死人的。)

举例三：基督是人还是神？

举例四：耶稣和犹大。烈士和叛徒。

举例五：小布什和拉登，负负得正，等于希拉里。

何为绝对真理？

究竟什么的？世界在发展，宇宙在膨胀，见到绝对真理就死翘翘了。历史结束。时空结束。盼倒霉呢是么？——彻底绝望？搜狗同时示相：觉悟……绝无……juewu 什么和其他。

相关链接：临死才是最后的开悟——究竟什么的。日本美：最后一眼。

举例：见着执着的，有志者事竟成，死缠烂打的，严拒！

忠厚劝告

你们爱交流，我给你们通电，就别修高速，造汽车了。都家待着！

和歌一首

秋叶春花野杜鹃

安留他物在人间

日本古僧良宽绝命诗。良宽（1758—1831），江户（1683—1887）后期的禅师、诗人，擅长汉诗、和歌和书法。（引自川端康成 1968 年在热被窝奖金获奖礼上的致词《我在美丽的日本》。）

一休语录

入佛界易，进魔界难。正是这位一休和尚（1394—1481），为宗教和人生的根本问题所困惑，疾呼：倘有神明，就来救我，倘若无神，即沉我湖底，以葬鱼腹！正要奋身投湖，被人拦住了——王注：也不挑个没人的地方。

日本净土真宗始祖亲鸾（1173—1262）也有一句话：善人尚向往生，况恶人乎？

以上出处皆引自《我在美丽的日本》。

抄川端康成

……但在这里所用的“临死的眼”这句话，是从芥川龙之介（1892—1927）自杀遗书中摘录下来的。在那封遗书里，这句话特别拨动我的心弦。“所谓生活能力”，“动物本能”，大概“会逐渐消失的吧”。

现如今我生活的世界，是一个像冰一般透明的、又像病态一般神经质的世界。……我什么时候能够毅然自杀呢？这是个疑问。唯有大自然比持这种看法的我更美，也许你会笑我，既然爱自然的美又想要自杀，这样自相矛盾。然而，所谓自然的美，是在我“临死的眼”里呈现出来的。

1927 年，芥川三十五岁就自杀了。我在随笔《临死的眼》中曾写道：“无论怎样厌世，自杀不是开悟的办法，不管德行多高，自杀的人想要达到的圣境也是遥远的。”

节选自《我在美丽的日本》。

王注：老川于 1972 年 4 月 16 日叼着煤气管自杀。享年 73 岁。

叶渭渠（译者）云：晚年思想空虚，加上政治上苦闷，创作能力衰竭——可笑！叶老，咱能不这么现么？

抄袭惠能

何期自心能生万法！何期自心具足圆满！何期自性本自清

净！何期自性本无生灭！何期自性本无动摇！

内观有感

宇宙意志何期智慧，哪管幻化成神马模样。

厌世才能

无畏——什么无私无畏无知无畏乱七八糟的。

谢天谢地

我终于洗刷净了两千年来儒家炮烙上的集体社会人格！——集体无意识！——下意识！——潜意识！

任何事件起因未必是恶意

——也许是受骗，也许是失误，但是，一旦开始隐瞒真相，就要湮灭证据、证人——我们叫灭口；就是罪恶；所以，隐瞒真相等于罪恶。

斗力——

斗勇——斗狠——你死我活——世曰：匹夫之勇。斗智——PK赛——你赢了服你——计划也更完美了——互相挑纰漏——所以，敌人即朋友！

所以

——道法自然——自然律——大道——我打听打听有人想和自然规律较劲么长生不老永远红下去什么的？

子曰

子在川上曰：逝者如斯夫。——孩子，水是会流干的！顺告不废江河万古流者。

平台无数

赛着强大——空空荡荡。——且看我后来居上！

上演一场活色生香的

——价值观打败价值观的历史活剧。

子曰:不知生焉知死

——孩子，不知死——焉知生！

我向你们保证

你们各人即便今天家中无亲故去，今后一定会有的。不要让他们孤苦离去。——你们今日之年轻人，他日也一定会有这一天的——人都是要死的——切记切记。——世界不属于咱们任何一个人。

不实消息、社会流言

——犹如有毒食品——必须厉禁！

一切自由

包括言论自由必须在法律的框架内进行！违法必究！

继承不继承

——别老是否定之否定——老是嘎倍儿新——就日本千年一系呀——杂交猫绝对斗得过纯种猫——譬如折耳和加菲。

林黛玉就是嫁了贾宝玉也是每天怄气

——既然迟早分手，不如哭一场，趁好了断——我倒以为这是曹的原意——心武老师在这点上有点乡愿了——人家老曹早看破婚姻的虚无您就别再在这儿给强拴对儿了——结婚就是大团圆么——我一朋友他爸在金婚还是银婚时听人奉承：清清白白做人老老实实演戏之类时脱口而出横批：度日如年。——《杀手中间人》中那个决意赴死的杀手为了打消辞世的牵绊——愣把爱人及其女儿给闷死了——拿枕头——这也太黑色了。——不是谁都像您那么活得有滋有味的。

贾宝玉要是娶了林黛玉就不出家了——才是笑话。

红学家最颠倒的是把觉悟当颓废

——最坏的是把真事隐附会为政治斗争——活活把一部贾宝玉的觉悟史——心灵史——庸俗化了。

我就奇了怪了——您们对觉悟底事就那么不熟——还冒充神马饱学之士——还不把梦都聊成了脏心眼?

亲不如友

——友不如同志——同志不如客——客不如仇——就互相宽容而言。

文化自信在于

——闻过则喜——i 个城市 i 个国家莫不如是——拍马逢迎罚款!

电影审查制度可以恢复97年前的

追杀制度——比同图书审查制度——当然是有法可依而不是全凭个人好恶一言兴废外行指导内行——没有一个出品人打算掏出i大笔钱反党反社会主义——这个自信应该有。

文人泥古皆赞古人高风亮节

——今日复为宵小且浑然不知。——这样的追古抚今文章看多了也腻。

心瘾

——就是对永恒的憧憬和对现实的厌弃——翻译过来就是愤世嫉俗——消极的——但求圆满——哪怕自欺——你怎么消呢——才下瞳孔，又上心头。

意识形态不许诺来世

——这是它不如宗教周全的地方——理想的跛子。

意识形态若仅仅是调整人际关系的工具

——又成《论语》了。

自古就是边缘荡击中原

——主流不安全。

女娲补天——星球大战啊

——星球撞击——不明物质陨落地球——神话传说中的共工——还是蚩尤——怒撞不周山——天欲坠——地维绝——合着先

民看见过小行星撞地球?

克己复礼

——发扬优良传统——孔子征候群。

生命是一种聚合

——死亡是一种发散。

双人舞是一种性爱的仪式

——向男女交合致敬。

极度贫穷的人最渴望成功

——才有成功的概念。——但是，富人都是穷人变的。

价值观颠倒导致常识混淆

——我们这里惊世骇俗的话——在别人那里不过是常识。

为什么不在王家坝盖摩天大楼呢

——农民都改渔民得了——楼门口是码头——10 层以下是鱼塘，水越大越丰收。

谨记着:老大帝国

富丽堂皇——都是酥油手捏的。

为什么人类的小孩都要在

——受尽委屈中成长?

一个小孩说：你们这代人

其实并没有学会怎么做父母——你们是和我们一起成长——我哭。——但是也没人教过我们——何止是我们这代不会做父母——我们的父母也早忘了怎么做——我们只被教过怎么爱祖国爱人民坚持斗争——慢慢学过爱自己。

国人在劣根性——

趋利避害——皆无免疫。——猴儿们（编者注：human）皆无——开万世太平——哼，只有肯绰儿（编者注：control）罢了。

多少憧憬

——都被风吹雨打去——过往街道——护城河——竟付与新保利——中海油。

前日方知

——其生也苦——与老病死合称四大。

一个小孩问我：

你对我长大了有什么感受？

还是那句老话：

一不怕人生痛苦；二不怕上帝已死。——不怕归不怕——但是难以忍受。

新五噫歌

噫！新暴力崔嵬兮！噫，中海油苍绿兮！噫，新东安狼夯兮！

噫，的儿北窑鸡巴林立兮！噫，中旅塔金亭轩兮！噫，全北京错愕兮！

又发现一新人种

——在两强——墙——之间徘徊——游荡！

与友人短信

真相很悲伤但是不可怕——合称慈悲。——瓷杯？——此辈？——磁北！

大一统

——反二元律动规律——所以多事。

其实美国从伊撤军

——将国家交还给阿拉伯——不管哪一派——国家对国家——迈瑞肯(编者注：American)怕谁呢？——为抗议伊战——从此不向美国交税。

台湾太讨厌了

——非逼着中美两强联手经济制裁他么？——不信他不崩盘！

所谓成功

不过是卑微的愿望得到满足。——犹如饿极了讨饭——吃饱了，满桌盛宴也就索然无味了。

最讲面子到死不要脸

——中国人这个从一个极端跳到另一个极端，是不是也可以说是个激进的民族。血性有啊，就一管儿，滋了算了。——真行。

破四旧是把脏水和孩子一起泼了

——恢复传统文化——是把孩子和脏水一起捡回来么？

镇压和施暴还真不是一概念

——尽管受力者的感受都是被施暴了。但是，镇压是控制——好比男女打架，男的抓住女的手不许乱动，控制局面，这叫镇压。施暴，是好好的，以看到别人痛苦为快乐的！或者为掠夺财物、压制反抗之粗暴。

所以同一肢体动作，含义不一样，这中间冲撞、流血，遂使一锅粥。

这个世上也没有独步天下这回事了

——只剩下天狗吠日，顾影自怜之类的他妈的。

敦厚而崇礼

——简称：事儿逼。

致中和天地住焉

万物育焉——各人自扫门前雪，休管他人瓦上霜；好死不如赖活着，该死该活屌朝上。

贼者——善于偷换概念

——蜜克斯(编者注：mix)。拿条件冒充逻辑——因果——颠倒主客——致中和美其名。才有囫囵吞枣、捣糨糊、揣着明白装糊涂之类的等而下之——时间长了，总要水落石出，也不免扑讽嘬影(编者注：捕风捉影)、望文生义、生疑、随之而来，引申出去滂译邪锄(编者注：旁逸斜出)一团糨糊——因而内心清醒决意做事却无从下手感情丰富之小吏曰：难得糊涂。未必是只鲁迅一人曾经醒来，史上若干人等都曾纷纷醒来，——怎么成许韦了？一扭脸又睡了——死了撕拉撕拉的——似啦，留住，慢，——刘索拉——音乐家——武啦啦、呜啦啦——呜啦！成唱歌了。文字本源。

慎独——

是，您怕独出思想去，都去交际，喝大酒，和谐社会；一人待着太容易看清真相了，所以谁也不许闲着，必须出去，都出门，热热闹闹假装忙，有意义，互相帮，都熟。这就叫意义。晃张儿图热闹。连热闹都没有那还能有什么——剩下呢？

君子自强不息

——小人还每天上班呢。这不是核心价值观，这只是一种积极的人生态度。此君子一定是个弱者。自强干吗呀？求生存，谋发展，但无目的，物极必反，遂有天下已平你未平，乱旋复至。厚德载物——此一德为阴柔的隐忍，是不问是非，没罪恶感，凡存在的就是合理的，只需善巧利用，忍看朋辈成新贵。

什么是儒学？——等级制，差别心，唯上智与下愚不移；忠孝一条龙服务——只唯上。——此为儒学核心价值观。

心不在焉视而不见听而不闻

食而不知其味——此谓修身在正其心？——此为忧郁症。

上善若水

——此水驰骋天下至坚，势必污泥浊水，泥沙俱下，所以，此上善实为不善，老谋深算；转义为厚德，此德为缺德。

火山口之于沸腾岩浆是直观的地狱

——生命来源于地狱——嗜热菌——古菌——多核生物——人类是地狱——撒旦——罪恶之子。

一场革命，流了那么多血

——才获得一点进步，只因一时之需，就要回到老路上（我指价值取向），这样的民族万劫不复。——那些提倡者貌似学者佞臣相十足！

古之佞臣、忠臣

——今日啸聚各大学、社科院，可和知识分子有神马相干？

人

从摇滚果儿的衰落看锐舞果儿的兴起

北京有一代孙带三代果儿下场的说法。孙是男的，果儿是女的，年轻俊男为尖孙，老男为苍孙；果儿如是。老外叫晒糖。勾搭为戏。造句举例：刘奋斗专戏晒糖果儿。老王是苍孙。夜店的苍孙们的壮志凌云是：坚持摇下90果儿。

摇滚果儿和锐舞果儿以78后分代。在夜店，03年以后就是80果儿的天下了。预测：奥运圣火是90果儿的进场号角。

王安忆论小资产阶级

小资产阶级知识分子是一个尴尬的处境，倘若是没受过教育，懵懂的人，他对生活，人生，是无条件服从，由此产生信仰，信仰他所遭遇的一切，信男信女，就是这类人；倘若是一个对世间万物有了彻底认识的哲人，因为了解，他亦会有信仰，信仰他的真理；而我，一个小资产阶级知识分子，前不着村，后不着店，看见了，又看不全，世界有了轮廓，却没有光，你渴望信它，怀疑又攫住你——这就是小资产阶级摇摆病。

摘自《启蒙时代》——《收获》2007年第2期208页主人公南

昌父亲和儿子的对话。本书即将由人民文学出版社出版。

三哥语录

关羽原来不姓关，也不叫羽。因为关羽生性仗义，在家乡杀了人，被官兵追捕。他逃到潼关，但出关要登记姓名，签字画押，为了安全，他指关为姓，以羽为名，比喻自己像鸟一样飞出潼关。所以后来就叫关羽。引自《王芳回忆录》157 页。

王：三哥此言也只能神通解了。查史书是查不出神马名堂来的。

三哥语录续一

屈原如果再做官，他的文章就没有了。正因为开除官籍，下放劳动，才有可能接近社会生活，才有可能产生如《离骚》这样好的文学作品。中国状元写不出好东西，好的文章是那些不得志的人、穷秀才写出来的。引自《王芳回忆录》158 页。

王：稍微有点绝对，基本正确。

三哥旧诗一首

《五律 · 看山》：三上北高峰，杭州一望空。飞凤亭边树，桃花岭上风。热来寻扇子，冷去对佳人。一片飘飘下，欢迎有晚鹰。引自《王芳回忆录》145 页。

王：一般般。可见也不是句句好，首首精炼。

三哥诗《七绝 · 五云山》

五云山上五云飞，远接群峰近拂堤。若问杭州何处好？此中听得夜莺啼。

王：极其心情驿站。

毛王对话摘自《王芳回忆录》

1957年，毛主席在杭州接见外宾，在外宾未到之前，他问我：你犯过什么错误没有？因为问得突然，我有点惘然，回答说：政治上的错误没犯过，工作上的错误恐怕不少。主席说，你没有犯政治上的错误，这就是你的缺点。我说，党内一些领导干部犯错误，中央发了文件，我们都认真学习了。主席说，那是间接的，不是直接的。毛主席接着说，只有正面的经验还不行，还要接受反面教育。人不要怕犯错误，比如小孩子学走路，摔跤就是犯错误，可是不摔跤就学不会走路。人要有正面的经验，也要有反面的经验。只有接受了正反两个方面的经验，才是全面的。

王：不用我再饶舌了吧。

王芳论沉默权

在当时，并未从法律上认识张春桥的“三缄其口”。在西方，早在古罗马的司法原则中，就有了“沉默权”。在17世纪之后，西方的法律规定被告人有阐述己见的权利，也有保持沉默的自由。后者就是被告人所拥有的“沉默权”。张春桥在特别法庭上的“零口供”，其实就是行使他的沉默权。如今，中国法律界许多学者也建议应该确认被告人的“沉默权”。引自《王芳回忆录》241页。

王：王芳同志当时是张春桥的预审员。又是检察员出庭支持公诉。那是特别法庭。现在一般不带这样的。

有些权利你不主张就不给你。

还记得当年电视转播特别法庭审判场面王芳同志的胶东口音：张春翘，泥不讲话就是默银了。

《王芳回忆录》摘抄：五哥与皇军的对话

年初一的一天，我哥通过交通员告诉我，几天前，他被日军传唤到张庄煤矿宪兵队。队长大出对他说，你弟王芳是八路军鲁中军区敌工部部长，老是和皇军作对，在鲁中地区搞了很多破坏活动，严重影响皇军安全。按照中国的王法，够得上满门抄斩。当然我们不会这么做，但作为一家人，你是他哥，有责任做好劝说工作，叫他收敛一点，不然的话，你告诉他，皇军的忍耐也是有限的。我哥说，我六弟从小在外读书，至今也没有联系。我从小跟父亲在家种地，安分守己，如今又当保长，为皇军出力。我们兄弟各走各的路，谁也不管谁。显然大出对我哥的回答很不满意。他说，你用不着推得一干二净，王芳经常来东都活动，作为兄弟，你们有联系，这是很正常的。但是，如果为了刺探情报，危害皇军，那是要杀头的。我们早有确凿证据，你也无须推脱。过去的事，我们可以宽大为怀，只要保证今后不再重犯。如若再不听劝告，我们就要采取断然措施。除掉小白龙。那时你也休怪我们日本人不讲情义。……我哥心中暗骂大出痴心妄想，口中还是答应设法做做我的工作，今后不要给皇军惹麻烦。

王：王芳同志当时在鲁中根据地号称“小白龙”，也有说李向阳就是根据他的事改的。

以天下至柔驰骋天下至坚

演强大一管不能软，软一管就叫全尿；演软弱一管不用起，起一管就叫浪尖儿；是谓以天下至柔驰骋天下至坚。

订正：起一管就叫尖浪。

国家地理频道我猜是上帝托朋友办的电视台

完全是站在上帝立场讲话。什么人文立场？叫自然立场也可以——道法自然。我在人神之间老找不到立场，在八不那里找到了。虽然有所住。见缝插针呗。否则此生怎度？这么早明白事儿。最后那一下留给最后那一刻。叫刹那。少看人间，去油腻。

偷张茖丹书包有感

时尚的爹是前卫，前卫的爹是另类，另类的爹是反叛。

时尚的媳妇是边缘人物，情儿是弱势群体。

孙子是娱乐。

这么一人物关系对应二逼那边：中产—暴发—假贵—媚雅—吹牛比—大金牙—宝马—LV。翻译过来统统叫“土闹”。繁荣讲话。

致谢一萍

你应该把老海那段话贴座位上。既是真知，又是预言。根据宇宙同构、万物同源原理，诸国诸教诸人诸事莫不如是。

原帖：今天的通俗历史学告诉说历史的开头都是原始落后愚昧软弱的。

其实刚刚相反。开端至为威猛。自此以后的，不是发展，而是敉平了以求普及，是保不住开端的那种无能，是把开端弄得不关痛痒，结果倒炫耀自己之大，这个大只是数量的大，散开的面积大，大得畸形。（《形而上学导论》第 164 页，转引自《海德格尔哲学概论》第 333 页。）

感言：今日之世界乃是历史之镜像。

辨认装逼犯小常识也叫英国国名的来历

乐代表心情。发型代表社会认同。过去不同阶级剃的发型各有区别。譬如日本武士头。书生扎得跟现在舞蹈果儿似的——知道你们看书怕头发挡眼睛。老百姓就蓬头垢面吧——知道你们干体力活。不许乱来的。也宣示民族。清入关留发不留头。各国发型不统一。女人乱做头发意在掩饰自己是紊乱的理想主义者。小平头假装为人耿直。这是习俗。差别。互相装孙子。不是时尚。剃光头就是蔑视一切社会习俗。跳出三界外。跟你们拼了。全不吝了。爱谁谁。所以要提防秃子。不光和尚。当兵打仗也剃光头，那是为了挨了枪子弹片好上药。我是卫生员我知道。水兵裤又宽又大，中间没开口，跟女裤似的，那是为了掉海里好脱光了游泳，船打沉了万一呢——我看也经常不是万一。犯人也剃头。省事。不拿你当人——你还讲究什么？希特勒为了摧毁反叛他的德军将帅们的自尊都给他们脱光屁股吊肉钩子上打，没了衣裳，装逼犯全颓了。苏联有一电影忘了叫什么了，俩苏军战俘跑跑跑进一德军海水浴场，所有人都是肉，抓不着了。

所以装逼犯一定身上名牌成山，发型烫成不知神马揍性。此人一定心里特虚，什么都顾忌，还想演强大。——装逼犯，迟早要完蛋！时尚整个是中产暴发演贵族开办遗留的一门生意。叫花子日本人——穷欢乐。逗更穷想阔的人——简称势利眼——玩。瞧把戏子们打扮成神马揍性了？孰不道德！全世界有一国算一国。

小词典：装逼犯：一般指没人逼你装你还装而且屡教不改的穷人。是装孙子的上级。

同理：时尚人氏等于装逼犯。时尚界等于装逼犯聚集地。时尚派对等于装逼犯放风。摸豆走秀等于游街示众。

小词典：贵族：很久很久以前的穷人。杀人犯。征服者威廉神马的。最后打扮得跟鬼似的，演戏似的，就怕人知道他没规矩，是土匪，刘邦什么的。把朝廷当舞台了。一拃面切三百刀，那叫一个细，越穷越讲究。鸡屎汆丸子，蛔虫打卤，管一泡屎叫黄金塔；窝头叫什么？窝头没名分了？噢！窝头翻个儿，有名了，叫现眼。

相关链接：鲁二先生讲话：孔雀开屏是好看，转过去就是屁眼儿了。为了文明用语，贵族不叫屁眼叫现眼我建议。

北京人讲话：蒸多大窝头将现多大眼。守恒。符合自然规律。跟谁较劲也别跟自然规律较劲，一点机会没有。

繁荣讲话：还是土闹——土豪劣绅在闹腾。

刘奋斗讲话：整个一苦逼根儿。翻译过来就是酷毙到家了。

老王讲话：再成功，还人多势众，跟贵族可怎么比呀？贵族都这操行了。都苦逼根儿了，威廉他们，别聊了。

高晓松讲话：不吹牛逼会死啊——你们？注：你们是我加的。

威廉他们跟郑成功也差不多，只不过小船摇过去的是英国——原来跟这儿等着呢：英国贵族翻译过来叫成功人士。虽然不是一姓。正不正不知道。坐过船，海里晃，大不列颠！喊出英语来了，及……北在哪里？爱谁谁都是蓝和蓝的联合，爱，打个嗝儿，还没忘记蓝。水淹上来了，我姓王！过来拉我。

都被历史严肃地记录下来了，起名叫大不列颠及北爱尔兰联合王国。怎么把我们家姓也写上去了？

三哥语录有感

无数求知先烈在我们前面英勇地牺牲了。我一想起他们就心里难过。哪里跌倒哪里爬起来，掩埋好同伴的尸体，揩干净心头的伤痛，我们又英勇地前进了！对三哥语录的修正。纪念梁左。三哥诗云：泪飞顿作倾盆雨。

告全国贪官书

你们还要卷多少钱才叫够，才肯罢手？

告以色列人民书

总要有一方先罢手。你们已经是强者了，不要再行使弱者的逻辑。世界因你们而动荡。以暴易暴，不知其非。

告天下所有鸡贼书

你们已经全玩现了！我看你们再演下去。

告所有神赛书

出路只有一条，放下所有装逼，老老实实做小学生，从头练起。否则，统统丢进人类垃圾桶！绝无侥幸！无一例外！历史翻篇极其无情。

天机泄露之一

所有小说写的都是真事。怕吓着你们才叫小声说。人类有神马想象力啊？

告所有脏媒体书

我让你们全失业信么？

告天下所有晃张儿

动辄得咎！

告天下所有财主地主书

所有深宅大院。小门小户，闺阁秘藏。窑儿再深。果儿再尖。再严。统统塌方。地震。三哥诗云：纸船明烛照天烧。

告天下所有父母书

住手！再敢打孩子，天打五雷轰！

告广东香港傻逼美食家书

住嘴！再敢海洋大屠杀、虐吃野生动物，天打五雷轰！关公挡得住天兵天将么？嘿嘿。

与刘杰瓣儿劈

能量突破躯壳叫崩溃。进进。景深崩溃了。精深崩溃了。净身崩溃了。敬神崩溃了。合称：精神崩溃了。

怀念梁左

祝梁猫猫学业有成。谌容阿姨身体好。梁天永远快乐。

猫猫在加州大学某分校学英美文学。极有文学天分。

告下三乘众生

你们那叫迷信——迷失在信仰里。再敢两舌，舌头开叉。

告天下所有受侮辱、受损害的人

吉人自有天相。天网恢恢，疏而不漏。

告国家教委

历史教科书再不修订就成笑话了。物理再不修订就成木匠须知和电工守则了。

对台湾大规模军演的回应

你们不过是东夷的少年，在海边嚣张而已，至于要摧坚垒，决胜负，当然赶不上老年人了。从现在起还敢和天子作战吗？——引自《资治通鉴 · 唐纪十四》891 页。岳麓书社白话本(3)。

李世民征高丽对高丽降将高延寿说。

日本侵略中国灯语

小偷进了爷爷家王府。俩儿子正打架谋家产呢。爷爷正睡呢，长梦不起。俩儿子见小偷一起上来厮打。武功又打不过小偷。一家子仆人瞧热闹，装路灯。胡同路过一巡警，咳嗽一声。小偷以为全被瞧见了，晃范儿了。跟巡警炸猫。上房 i 看，拎俩酒瓶子。底下站着一警察，还是美国的，手里枪指着他。还不服，直接开了两枪朝天。都是炸子儿。小偷颓了立刻。

第二回：警察逮了小偷走。屋里俩儿子不干了。继续打。把正房打成偏房。钱都让偏房砸窑了。偏房要离婚。正房儿孙当然不干了。都是小偷惹的祸。警察一甩手走人了。也不是太仗义。小偷是成良民了。靠摆小摊成房地产——发展商了。但是正房的穷孩子们胡同口见着还骂：瞧你丫那操性！你们家东西都不是好来的吧？

姜文语录

有些人拍电影，就像演西门庆，根本不爱潘金莲，就在那儿演淫荡。

王注：百分之九十九。

姜文语录之二

评论家就像太监。自己办不了事，净瞧皇上在那儿办事了，回头到处散去，假装懂。

王注：写散文的就像青楼女子。宋朝的。柳永那头的。跟诗人混久了，自己也吟几句，假装是词作者了。

举例：愁煞人。

增补：有时候太监还挟天子以令诸侯。

告天下所有财迷

金钱是自由意志的奴婢！但是，贫穷即罪恶。但是，贫穷怪不得穷人。但是，以贫骄人即撒赖！也不可爱——跪死也不心疼！抢？无非是颠倒主客关系，等同豪夺。但是，可以洗洗睡了。

增补：有钱的帮个钱场，没钱的帮个人场——撂地卖穷呢？

你们到底要干什么！

大款们？一张纸是钱——一百块；一沓纸捆一块儿叫一万块；十捆叫十万。一整捆，叫一包—— 一大包！一整垛——无数万。——无数亿。都是钱。都是纸—— 一座山。都是纸！全是纸。全是钱。特别多。无数垛。数不过来。还是纸，还是钱，人民的币——美金——英镑——澳大利亚元——噢买尬！全是你们家的。都归你。全世界属于你。然后呢？一扭脸，您咽气了。累着您了。您一辈子紧忙活，都没顾上花一分钱。兜里不带钱。都有人买单。有面儿。互相请。挺好一堆动物——你们叫山珍海味，给煮熟了，蒸烂了——稀巴烂。生的。活蹦乱跳的，您们直接塞嘴里——广东人。管这叫生猛海鲜。操你大爷的。然后呢？吃吐了。吃恶心了。

夜生活小常识

KTV 小姐都被妈咪领着去工体北门各夜店了。改名叫助场。夜总会急剧衰落。大款们都换地儿了。

三里屯酒吧已经成旅游点，以接待各旅行社组的外地土闹看热闹团。假装欣赏北京夜生活。

不商业的酒吧基本局面是苍果对苍孙——面面相觑。白领们，金领们，海龟们。还有最骇人听闻的是一堂苍孙——蒋 9 当年，隔壁王吧已经歇了。一果儿没有——女老王不让有。只许她和马葭领军。都是熟张儿，熟得一塌糊涂，一百多年前就认得，互相坑过，翻脸过，又流氓假仗义和好了借着酒大了，要不也没辙啊，没生人可掰了。偶尔远远飘过一果儿，集体回头，扒窗户，还是熟张儿，熟得不得了，集体有过一腿，苍得一塌糊涂，谁见了谁躲，假装有事，假装忙，接电话，出门撒腿就跑，不是怕买单，怕掏心窝子，怕话痨，不让走，一起看天明——把酒吧生意全搅了，老板没说什么服务员卧底——梁哥语——特别不乐意。最苍之孙北京男老王撂下一句慨叹当年：一网撒到天边，捞上来的全是熟张儿。

告天下所有假懂事

吃不开了。换 ting 了。

告王朔

你嘴上有权——话语权——更应该慎用。滥用就将导致专制、一言堂。走向自己的反面，成为你曾经痛恨、深深厌弃的那种思想警察。

争夺话语权是一场战斗。有了话语权就应该分享——包括过去的敌人。——谁是敌人呀？只是观点分歧，价值观相左，都是人民，不共戴天严重不至于。建议装很有风度的样子——我允许你们批评我，哪怕是恶意的。一来二去才好玩。

演上帝是很危险的，和演魔鬼一样危险。拿这个吓唬人，更是罪孽，搞笑。

告天下穷大款

拆了学校盖庙——罪过！天打五雷轰。明儿中纪委、检察院、反贪局一起找你去！

三哥语录有感

在拿枪的敌人被消灭以后，不拿枪的敌人依然存在——譬如金庸——当下在思想文化领域等于打的也是一场卫国战争！

不是给他上纲上线，而是本来就在纲上在线上。引自“文革”期间批判会流行语。

苏联卫国战争时期歌曲《神圣的战争》歌词

译者：刘杰河南艺术职业学院。抄袭者老王。

《神圣的战争》简称圣战。

起来，巨大的国家，做决死的斗争，要消灭法西斯恶势力，消灭万恶匪帮！敌我是两个极端，一切背道而驰，我们要光明和自由，他们要黑暗统治！全国人民轰轰烈烈，回击那刽子手，回击暴虐的掠夺者和吃人的野兽！不让邪恶的翅膀飞进我们的国境，祖国宽广的田野，不让敌人蹂躏！腐朽的法西斯妖孽，当心你的脑袋，为人类不肖子孙，准备下棺材！贡献出一切力量和全部精神，保卫亲爱的祖国，伟大的联盟！让高贵的愤怒，像波浪翻滚进行人民的战争，神圣的战争！（原苏军红旗歌舞团演唱）

王：牛掰！伟大的诗篇。具有严重的现实意义——在思想文化乃至娱乐民俗方面。以俄国为师，走俄国人的路——忘了是谁说的了——是当年无数热血青年的心声和口号，秉着这种精神前赴后继，抛头颅、洒热血，打出一个红彤彤的新中国。

今天的法西斯恶势力就是香港的恶俗文化，武侠、烧香拜佛等等封建迷信，以金庸为代表，逆风千里，当年为四野一路殴打、重锤、驱赶到香港去的所有陈芝麻烂谷子旧中国的所有渣滓——现在竟又沉渣泛起了，北伐了？——必须打回去！

相关链接：国歌。田汉词：前进、进……

赤色女性中队中文红色娘子军歌：向前进！向前进！战士的责任重，妇女的冤仇深……

论有话好好说

好好说你们听么？不好好说你们又说不好听——你们还让不让人说话？又及：就跟谁没好好说过似的！

又及：好听话都让你们说了——你们说得还少么？

再告穷人不靠谱

富人靠谱么？那位问了。——不敢说了。再说就成全不靠谱了。这一国人，怎么办呢？人人不靠谱？

问吃素的事儿通

植物不是生命么？鸡蛋不是婴儿么？你们要真慈悲——喝凉水去！为你专逮专杀、活吃，广东那帮孙子——罪过！打苍蝇蚊子——早死早超生。

问知识分子或知道分子甭管什么了吧

我，中学毕业，服过兵役。正经八百海军，舰艇兵。海军北海舰队装备部消磁船 C735 卫生员。救死扶伤。在海上见过前苏联军舰，波涛汹涌跟座城市似的——颠死我们了。——和他们犯过照。给核潜艇消过磁。见过。保卫祖国，咱保过。农民，交过公粮，那叫地租吧？工人，干过什么我不知道，我只吹过灯泡——在北京灯泡厂。——哼是打过铁，炼过钢——钢包破了；挖过煤——煤窑塌了！您们，大学生、研究生、博士生，教授、博导，我打听打听您们干过什么？住在屋里，点着灯泡，研究学问？红楼梦？金庸？鲁迅？黄世仁？标点符号？加注解？小彩舞？侯宝林？您们还成菁英了——王菁英？您们还成先知了？您们还成良知了？还成都好了？还拷问自个儿没事就？还良心了？社会的？您的？自己个儿家人的？宋丹丹讲话：我没说不，我说的是一呸！——我呸！

还瞧不起人了？还忧国忧民了？还精神贵族了？我呸！

还天之骄子了？还优越感十足——忏悔了？我呸！

告外省同学

哪儿人也不如京油子坏——譬如我！卫嘴子，狗腿子，九头鸟，敢为天下先，流氓假仗义什么的，包括港屄南蛮伪军系列，都别聊了。里挑外撅，见人说人话，见鬼说鬼话，到神马山唱神马歌，作好作歹，好人坏人全让他一人把戏抢了。您们那儿出个状元就名人故里了。我们伺候过多少朝——代皇上？夹中间，敢说实话么？皇上问娘娘哪儿去了昨晚？只能胡说还得有意思能把皇上气乐了，信息也传递了，既不是实话也不是瞎话，又跟什么都没说一样，问我可什么都不承认——敢得罪谁呀我们？

京油子再有文化，再得了势，这孩子还能要么？哭得过了！所以，都别惹北京人，真要跟你犯起坏来，哪儿人都不在了。你们几十省捆一块儿也不是个儿。所以，有事说事，都别犯坏。

能跟我们有一拼的，也就南晋、细安、喝男那疙瘩的。

天赋人权之一

人有权处置自己的身体——吸不吸烟；堕不堕胎——还不知道是谁种的呢；和谁交配，怎么交配——同性还是虐恋。自由的前提是不妨碍他人。反之亦然。道德是某一社会人群小契约，因地因时而异，无权僭越普遍人权——僭越了就是不道德，是公共暴力。幸福等于按自己意愿生活。我还自杀呢——将来——当机体全面衰竭不可逆的时候——管得着么！

论歧视

歧视无所不在，主要在于伪君子的嘴中。还有一些假正经，以中老年妇女居多。我在法国美国都见过，以为自己是道德化身，公然无礼地乱干涉他人私人行为，甚至把眼睛望远进别人家院里——我们一哥们儿在自家墙根撒尿——偷窥后投诉，颇有当年北京小脚侦缉队遗风。中国大家都很常见了——散见于各种电视上语无伦次。甚是可恶！神经病一帮——纯粹是。心理变态，把自己的寂寞发泄到别人愉快的个人爱好——癖好上。

挺身维护公共秩序的不算。

贾宝玉讲话：好好的女儿家怎么做了老婆就变得浑蛋！

慈善就是时尚?

我靠，你没事吧——那位时尚杂志女主编？会聊天么？不会聊别瞎聊。什么都和你们那本破杂志的行销联系上。您办的那场慈善晚会是典型的一帮戏子拿小钱买名声——恶心。——慈善是生理需要行吗？慈善榜等于夸耀、叫卖善举，是伪善——榜。但是，比穷凶极恶强。但是，离至善还差得不是一步半步。中华慈善总会及各种官办基金——我打听打听，你们是义工么？i分钱也不捐你们！不许吹牛逼——穷大款们及各种吃慈善饭的家伙们！（看《一虎一夕谈》有感）

再告伪善榜上榜者

任何夸耀，都将完全、彻底、干净地抵消您们的善行！我老实告诉你们，想靠捐几个臭钱买赎罪券，地狱免入证，门儿都没有！

生而有罪

节选：元首这样论述他对德国青年的教育方针：我的教授法是严厉的。必须根除脆弱。在我的要塞中成长的青年人将令全世界恐惧。我要青年人野蛮、冷酷、崇拜权力、无所畏惧。青年人必须具备所有这些品质。他们必须能忍受痛苦，不应有一丝一毫的软弱和温情。他们的眼睛里必须再次射出自由、威严的猛兽的目光。我希望我的青年人强健、英武……这样，我将能创造新的世界。

王：这就是希特勒同志注射完冰，在冰作用下想象的未来。所以说冰害人。

相关链接：狼图腾。

增补：从另一方面说。希特勒也会似个可怜之人，一个瘾君子。他的医生要对此负责任——每天注射十克以上的冰毒——提纯麻黄素给希特勒小孩——画家——艺术家——妄想者——有时，一个坏的医生也可以改变世界，给世界带来灾难，所以，——郑筱萸该杀。

人类的英语发音

叫猴儿们。

十五从军征

八十始得归
道逢乡里人
家中有阿谁
遥望是君家
松柏冢累累
兔从狗窦入
雉从梁上飞
中庭生旅谷
井上生旅葵

舂(掰两半三横一撇一捺下那个臼，实在不知那个倒霉字念什么，查半天字典)(编者注:舂)谷持作——又是一倒霉字：食字边加一卞——不认识——读不出音儿——吓？——饭的意思。饭就饭吧，还吓!

采葵持作羹

羹“吓”一时熟

不知贻阿谁

出门向东看

泪落沾我衣

王：这是汉乐府一首。小时候看的。《古代诗歌选》中国少儿出版社(上海延安西路1538号)1961年10月第1版，63年2月第7次印刷，被王天羽同志买家来了。定价3毛8。被年幼的我看到了。

问于丹：赶上盛唐强汉，您是打算代夫代父出征啊“唧唧复唧唧”还是“打起黄莺儿，不叫树上啼”在家当怨妇啊？

骰子都落在地毯上

诺曼底登陆日BBC发出的炸火车密令。好像还有一个发给法国抵抗运动的开始大进攻的密令叫秋天的小提琴如泣如诉什么的。

将军，这是战争。很遗憾会造成平民伤亡。但是，只要这意味着自由，哪怕成倍的伤亡，我们也情愿接受。——引自诺曼底登陆日一位法国自由力量人士严重怀疑是戴高乐的语录。

郑重建议

应该考虑一个特赦——在反贪领域。是制度设计不合理遂使大批干部落水。也请全国人民理解。宽恕。画个杠，从今往后不许——既往不咎——除非民愤极大——影响极坏——个案。目的还是达到团结、和谐——全民和解。而不是一代清洗一代。可以考虑开聊遗产税以平民愤——农民起义等于暴力征收遗产税。

增补：还是用非洲——咱们老祖宗的智慧：真相与和解。

商业网站等于金钱

金钱是权力的奴婢！——腾讯小朋友来短有感。

看许戈辉采访艾冬梅携手2008奥运有感

问体育总局各级教练——你们那儿是实行奴隶制么——太郁闷了——什么情况？还废什么话呀，赶紧上检察院举报教练贪污奖金啊王什么顺之类的——严重犯罪——太不懂用法律保护自己了。

这样的事检察机关为什么不主动介入侦查呢？

问律师

体育界这么多索赔案你们为什么不主动介入呢——很大的一笔买卖啊！

告运动员

清算无良教练，你们可以委任律师进行集团诉讼。

女孩子变成女人为什么会变坏呢？

白乘金等于白金。白金擦火就着，所以两白相见等于脑红？否否得正？旱地拔葱？

回赵振东等自以为是天才的小孩们

我可没拿自个儿东西到神马名人门前兜售——您瞧怎么样足斤足两么？我是任谁都瞧不上，看书非看出破绽来才罢休——也不过如此。对不起，一个人情不帮。自个儿回家练去。听说过三年不鸣，一鸣惊人，三年不飞一飞冲天么？拿出货色来，别找人就无名投稿，要没让人惊为天人，对不起，那您就不是，该干吗干吗去。您可千万别晃着自个儿。

先学做人吧兄弟。严重瞧不上你对女性那态度。

瞎呼吁啥呀

国家不是有法了——已经有法了各位大姐！有法必依，违法必究——你们别玩哭天抢地旧社会那一套了——兜售苦难更是可耻！——没有青天大老爷，只有法律和法律援助——你们那一百万启动资金——我看也用不了那么多——很多律师免费都打——都当法律援助基金比什么都管用。谁吃了你的找谁去——别拉社会大众玩道德讹诈！

法制社会已然来了

就剩实行了。

法律精神之一

权利不主张就没有！

之二

法律不禁止的——就是允许的！

三哥语录

知无不言，言无不尽，言者无罪，闻者足戒，有则改之，无则加勉——毛主席的话你们都当耳旁风了？三七开——那个七呢？——问闻之气急败坏者！

神马“西点男生学校”

——最新版《未成年人保护法》已经公布施行。六一起，孙子们再敢打孩子，甭废话，国家强力机关介入，取缔、抓人——提起公诉！

脸上有疤那校长——你们不是培养特种兵行么？

别叫知识分子冒充社会良心了！

下一句有，本来，忘了。暂时没话。搜狗太讨厌了，比我话蹦得还快。

告诫中国爱国者

看到了吧——巴以局势——极端分子——互为对方反托。

告天下赌徒

凡倾家荡产者皆是上来赢过一大笔钱的——我这样瓢底的朋友太多了——澳门赌场这帮坏人专门养鸡贼——先让你赢，再一点点收你。——还不上钱让人押着走穴——谢东；——让人押在缅甸地牢多少年，我就不说是谁了；——让人把车全开走，房子没收，我就不说是谁了。——21 点可以赢钱，概率略大于庄家。想赢赌场的兄弟，苦练 21 点吧，我很多朋友，美国的中国的都靠 21 点挣小钱——多了人不让你进。这名可以点吧？光荣啊，赢了赌场——邬君梅她妹邬君宜、郑小龙同志专抄大西洋赌城。艾未未估计也行，要不大西洋那么爱他，派专车接他非要跟他一决高下。还有著名的贺林同学，我们去荷兰一路开销都是他拎着个塑料袋挣出来的，专打小赌场，进去暴卷，卷了就颠儿。法国巴黎一见他整场停业，跟他一人赌，终于把他卷了。

问徐向洋

你们那儿不就是个高收费的工读学校么？——都是大款家的孩子吧？——我把流浪儿送你那儿去你收么？——假装什么有正义感呀，不就是生意么？

中国人说的善良是指

驯服么？

猴儿们的集体无意识之一

一司机携三岁子疲劳酒后驾驶撞向五环隔离墩，车着火，司机——父获救后独自离开现场——逃逸？弃子于车火中烧为白骨，自称撞蒙了，自称悔恨一生。群众同声谴责不道德——好像自己很道德似的——基本反应气愤、不理解、禽兽——别侮辱禽兽了！

一母亲，当儿子问到若我犯死罪，你不揭发即连坐包庇罪，母亲脱口而出：那我揭发你！

猴儿们自是趋利避害的动物——利己动物——相关链接：人不为己天诛地灭中国民谚。——自私——人性恶——原罪——在美国则为民主党立场——认为需要各种法律限制人性恶。

在中国：法律鼓励人大义灭亲。亲属连坐这是现代法律精神么？——很古代么我觉得。怎么不保甲制——十家连坐——株连九族？

儒家学说：忠孝不能两全——君君臣臣父父子子——就顺位言忠在先——两千年强化下来。

所以：人遇到危难时，潜意识——蒙了潜意识就出来了——第一想到是自全——第二顺位想到是救亲——不救不道德——儒家之孝道——前提是自己已然安全并且不再承担风险；——第三才惠及旁人，除上述前提外还要加一条利益给予所以我们有那么多要下河救人先张手要钱之报道。

道德义愤者也不过是五十步笑百步。

举例一：我在部队（青岛5码头1268仓库）听闻起火，疾步下楼，迎面见火扭脸跑回——回屋喘息方定才发现自己并非意在救火而是打算看热闹。

惊闻艾冬梅事庭外和解

这事能私了么？小偷偷了东西把东西送回去就能免刑责么？罚款在哪里？赔偿在哪里？律师——这事没完！

对知识及其分子实行舆论监督

——哥们儿自告奋勇！

哥们儿以般若监督你们人知见！

——懂么？

猴儿们——你们就以国家的名义犯戒吧！

你们就造吧！

问尼采

上帝已死？——亏你想得出来！

小孩吃饭

你不能逼她，摆一桌子菜：吃，你必须吃！——要馋她，端着饭在跟前吃，倍儿香，显派，吧唧嘴，不给她吃，躲她，跟她抢——物以稀为贵。

告腾讯高层

智慧财产可以不计入成本么？

再告腾讯高层

要知道，在信息时代，财富主要来自于智慧之间。跟不上时代，就帕斯你们。

告占座技术高手

不必再开发功能了。现有互动功能已足以满足需求了。还是简单点好。交流是否充分不在功能键多少——不喜欢老换界面——花呼哨。听说过老字号么？一天三变，成北京市容了。

智者为王勇者寇

——因为他会激发每个人的能量。（看《越狱》有感）

语不惊人死不休

——总比一堆废话好——千士之诺诺，不如一士之谔谔。这也成了批评一个人的理由了。各位温良钝坚厚兄——真行。

还是那句话：

从“文革”过来的成年人，无一人清白——我就一竿子打翻一国人！

大家——人民

互为加害者和受害者，既互相憎恨又惺惺相惜。——也许这在心理学上可以命名为“北京综合征”。

遏制犯罪应该零容忍

从家庭犯罪——父母打骂孩子抓起。新公布的《未成年人保护法》未把这一项列入是重大失误。

相关链接：我国目前正经历新中国成立以来第三次严重犯罪高峰且十年不退。每年严重犯罪一百五十万件（前几年政府数据我印象中）。

问善良大众

你们对事实和态度哪个更看重？

孙子是指人格低下者

——为追逐利益和隐瞒真相不择手段者——是小人的同义词——小人算骂人话么？小人若算那孔子也骂人了——小人喻于利。

孙子兵法该改叫什么呢？

我以为孙子只能算

蔑称。——等同于鼠辈。程度尚不及坏蛋、国贼、家贼、妖孽、魍魉。

和某些人所做的事比，真是很客气了我这个文明人。

神说

富人的祈祷一律失效，因为神知道你们的财富是怎么来的。

你们要相信万物有灵

——你们还吃得下肉么？

听说过什么叫上国之德么？

许你对我这样——不许我跟你一样——操蛋！

你看陈水扁那个死缠烂打的操性

像不像我们有些同学？

爱拼才会赢

——什么浑蛋逻辑——就不让你赢！

各位娱乐媒体

——尤其是各小地方之晨报、晚报——青年报系、妇联报系改头换面出版的娱乐版面——你们已沦为赫斯特报系当年定义的黄色小报——以负面标题炒作社会新闻——还说别人炒作么？

特别点名——特别恶劣的是成都、沈阳、杭州、广州各号称休闲的无聊城市。为人不齿！

问各娱乐媒体版面编辑

一国两制有你们的份儿么？你们学什么香港壹周刊——英国太阳报——真搞出类似香港艺人大游行、戴安娜车祸那样的社会恶性事件——你们兜得住么？

不要再派那些年轻、少不更事的女实习生到我枪口下送死了——下回我专逮你们这帮孙子！

建议每条重点贩毒路线列车上缉毒犬

——荷兰至法国的列车上就有宪兵与缉毒犬嗅每个座位——强似让乘警练火眼金睛。

百家讲坛三十六计

有点像教坏——中国人还用学借刀杀人这些事么？信息陈旧。严重不如复旦那位讲唐僧的留德教授。打算把“超限战”推广到商场——民间么？

欲阻止犯罪

必先了解犯罪心理。国家地理频道 LOCKDOWN 节目解说词。俄亥俄州黎巴嫩监狱瘸子帮老大同意接受一个计划，与被他枪杀的——因毒品交易互不信任而开枪——之前互不认识——的黑人兄弟的母亲和遗孀见面。

那个体面的黑人母亲说：我不原谅你的行为，但我原谅你这个人。最后与黑老大隔桌握手，叮嘱：监狱不是人待的地方，比开佛(编者注:Be careful)什么的。还问候他的小儿子。

黑老大对镜头说：这时我的心都快融化了，有想下跪的感觉……

黑人真牛掰!

相关链接：南宁铁路公安看守所的女狱警和女死囚的故事——CCTV 新闻 6. 26 禁毒节目。

相关链接：CCTV12 道德观察：冤冤相报——你儿子害死我儿子法院判你赔十五点几万，两年一块钱没给——都是穷人——我拿硫酸泼你最漂亮女儿的脸（事主另有一残疾女儿）——法院判赔几十万（刑责另说）——这位已遭强制穿着囚衣的中国母亲说：没钱——你先让她赔了我十五万我再赔她——对另一位中国母亲说——这位母亲——受害人家属回：你太没人性了。

黑人母亲批评夺走她儿子性命的凶手

说：你使两个家庭伤心。并感谢黑老大肯来和她和她媳妇见面，这对她们平复伤痛很重要云云。

杀一个人节省社会成本还是感化一个人节省社会成本——以会算账著称的中国人?

生活在谎言中久了的人

——有福了。

从进化的角度说

杀蟑螂是一种不敬祖宗——因为蟑螂已经在地球上生存了三亿年。

增补：蟑螂的消化系统和人一样。

另及：人的大脑是从海绵进化来的。

中国人已经拿蟑螂提炼

抗衰老了——真行。“康炎复”——中国四家药厂已经量产了——您猜提炼的是谁？——蟑螂同志。——蟑螂同志已经进化三亿年相当于我们哺乳动物三百万年的百倍，有我们不能分泌的化学物质——中国某生物科学家说——提炼出来大大有利于人类——台南已经发展出蟑螂爱好者群落——澳洲已宠物化——犀牛蟑螂。

可以预见：我们学校老师要孩子上交蟑螂支援国家建设，呵呵。

蟑螂，中医叫

——土鳖。

若以唯物论者说

人死灯灭——我们有幸生在中国三百年一转儿——中原鼎革之间——全球超级火山十万年一爆发——火山冬季之间——没有战争、自然灾害——可说是幸运——太平盛世。

若以转世说——世界末日那天，我们仍然在场，眼瞪瞪的——只是不知自己是谁。

爱是可以忽略的

——不能忘记的是伤害。——在那些看客麻木的脸下面往往释放出阴郁的快乐。——他们管这叫正义。

仇恨出激情

——受虐者特别习惯——迷恋虐待过程——两千年下来——建议中国性冷者试试性虐待——一定很有快感。

东方男子

普遍偏爱少女型女子——从影视红星中可见一斑——山口百惠什么的，假装喜爱清纯——其实是不自信——受体形限制，社会观念影响——女性不能强于男性——否则搞不定——低于幼稚者谁——蒙昧者。——米吐（编者注：Me too）。

再论戾气重

——自古以来的亡灵都未得超度——中国历史上改朝换代十次人口减半——隋末唐末恨不得十去其九——都是自相残杀——五胡——匈奴隐于山西，鲜卑隐于辽东……就剩一羌了——蒙、满——都是中华民族了——只有最后这日本算外敌——八国联军屠城了么——问历史学家——未见详细数据——印象中地球曾有居民六十亿——按本国四分之一算——十五亿（不大科学）——还有饿死的——谁和谁道过歉——成者王侯败者寇——净互相诅咒了——还有气死的——根据能量守恒定律——能量既不会凭空产生也不会凭空消失，只会从一个物体转移到另一个物体——都在我们身边盘旋了——焉得戾气不重？——如何和谐？

还不承认么

——孔子就是个常识课老师。——他那个六艺，文不能唱曲，武不能卖拳。——也就是个万金油——哪个国君敢把国军交给他带——怪不得跑官不成——建议去教小学——中学都要学自然科学政治人文。——中国人还要再停留在这样幼稚的阶段么？——再多热被窝奖也都是些书呆子，堆在一起叫呆瓜——己所不欲勿施于人——小孩都懂的道理还要你们隆重总结——你们才懂——真行！——去向婴儿、万物学去吧——何止三人行才有你师——万物皆师。

有朋自远方来

——小朋友快鼓掌——幼儿园阿姨说。

山东人

——就剩实在了。

投奔怒海

——闯关东——成流氓假仗义。

进了北京

——成京油子了。

九河下梢

游向天津——光顾换气——成卫嘴子了。

一路狂奔保定

屁股颠得七扭八歪——成狗腿子了。

陕西人实在？

——你们是陕西人么？——苏北人民野战军是没烧杀你们那儿，湖北人民野战军可把你们阿房宫一把火烧了。长安？远了不说，唐时西藏人民野战军就把你们那儿子女玉帛都掠走了。回纥——西北人民野战军，那可是郭子仪许的：城池土地归唐，子女玉帛谁打下来归谁——没人民您要城池土地干吗——给你们家放马呀问郭子仪——剩下的叫黄巢吃了。——拿磨碾碎骨肉以充军粮——全城都吃光了。——李敖要在也被吃了。——颜真卿他们全家隋末叫朱桀吃了。——你们是哪儿的呀现在的西安人？你们怎那么多黄眼珠高鼻梁？——你们是骑马来的。住久了忘了自己是谁了——正是反认他乡是故乡——把被你们吃了的人的小学文化当文明供起来了——因为你们来的时候实在是太没文化了——瞧什么都新鲜。——这么多年也没什么进步——得，我也别一竿子打翻一城人——郑钧、张楚、许人家高还是很牛叉的。

咱们各文明古都能都别假装自己有底蕴么？人南京怎从不张罗这些事啊——盖大明宫什么的——是缺什么补什么吗？

加害者把自己想象成受害者

——多少代之后——不依不饶的——这叫什么综合征？

听说秦朝陕人都跟汕头呢

——泰国华侨了——汕头话和闽南话有一拼——他们靠谱么？

杭州人你们别装南方人了

——你们都是河南人——我还不清楚？——当年我——王衍——仗没打好，信口雌黄，清谈误国——对不起西晋人民——让五胡乱了你们——祸是我闯的——但根儿上你们还得找老刘家那小子刘彻说去——三岁看到老——这小子从小就不地道——就知道骗——生涮了我们老王家的阿娇。

四川人

——哼，大西国——湖广填四川说谁呢？

都是外来户

——咱们。还一条：真够能生的。

河北人

——自古燕赵多慷慨悲歌人士——到安禄山这个土耳其人当北京军区司令时——你们就尽操胡语——妇女出门逛街都骑马——i骗腿就颠儿了——什么情况？

请大家脱袜子检查自己的小脚指头盖

——平的是汉人——两瓣的是胡人之后——费孝通同志说的（我也是听说啊，只负传谣的责任）——苏童多像击鼓胡俑啊——中学课本上——元时苏州一个大兵领十户随便进去胡来——当然元军渡江战役副司令以下尽是山东人。

张元那一头卷发一定有黑人血统——他一个南京人也是满蒙混血呀。

别聊优越感

——谁也不优越——谁都怕查家谱——英国王室早先也是土鳖——土鳖从军——混成草头王——黑泽明也是军人子弟，释迦牟尼也是军人子弟，嘿嘿——我这可没一点优越感的意思——只是陈述一个事实。

李世民倒是高干子弟

——可他爷爷李虎之前呢——听他爷爷这名就不是神马好出身。

房玄龄奏说

检阅库中铠甲兵杖，胜过隋室很多。皇上(李世民)说：甲兵武备，实不可缺少，但炀帝(他表大爷)的甲兵岂不足够吗？终究灭亡天下。假若你们尽力为国，使百姓安定，这才真正是朕的甲兵哩。

白话本《资治通鉴》(3)804 页。

李勣常对人说

我十二三岁时是个无赖的强盗，看到人就杀。十四五岁时是个难以抵挡的盗贼，有所不称意就杀人。十七八岁是个好贼盗，临到作战才杀人。二十岁时是大将，带领军队挽救人的性命。

《资通》(3)969 页。

什么叫抡刀上阵立见本性——只有军人才最知战争的残酷、非人道。

相关链接：拉宾。

所以杀人无数的唐宗汉武

——晚年才悲泣不止。为什么我眼中常含着热泪——因为我罪孽深重。

成吉思汗我们就别自作多情了

——人家蒙古国正儿八经地在那儿纪念——伟大的征服

者？——屠夫——整个俄国赤地千里白骨累累——见12世纪教皇特使的《出使蒙古记》——杀的人比他生的人都多——至今携带他DNA的人两三千万。

我们是九十年就把元推翻了——还得说安徽人靠谱——俄国遭了四百年还是六百年罪——俄国民谚：你没有钱他就牵你的马；你没有马他就带走你妻儿；你没有妻儿他就砍你的头。——歌唱鞑靼税吏。

席慕容就别跟着瞎激动流泪了——您都台湾人了。

又是一受害者崇拜迷恋加害者的例子。怪不得蒙古人从此一蹶不振——造的。

如果知道欧洲人至今管我们叫其那

——契丹的音译——有人拧巴么？

听说过“希腊火”么？

——蒙古人攻城的利器——将肥胖市民炼成人油绑在箭头点燃——火箭——射向城头——沾身上就扑不灭——见《出使蒙古记》。

一善良女孩问为什么你老说令人震惊的话？

——事儿都干了——还怕听说么？

什么善良——

妇人之仁——集体伪善！

我要你们廉价的欢迎么

——呸！——谁他妈也别劝我！

有本事你们就全国共诛之

——看我怎么横眉冷对指亿夫！

七十随心所欲不逾矩

——老油条——共产党员十四岁就可以奋不顾身——刘胡兰！

敬鬼神而远之

——不语怪力乱神——小鬼，是跟人家不熟吧？——这句说得还算老实。

按照西方标准

——孔子、孟子就不算哲学家。——《三联生活周刊》07 年第 23 期 58 页香港中文大学刘笑敢教授（内地背景）语。

——不按西方标准——那为什么拿热被窝奖得主说事呀——腐儒——腐竹——乡愿们？——早上集体跑操晚上一起睡觉就叫学孔——深刻呀？——真行。——哪个部队不早上跑操晚上一起熄灯？——我们还吹号呢。幼儿园小朋友早上还一起遛弯晚上一起睡觉呢——白天背生字。

曲阜——

封建王府——那些流氓外寇得了天下自然要去向小学老师致敬——补课——冒充正宗——您好说话啊——有教无类——人还真来了——都假装热爱教育——敬您——其实是哄您呢——您别当真——您那些后世子孙可当真了——也不敢不当啊——刀架脖子上——我打听打听我大清入关时你们孔家留辫子了么？——若留

了——就别这吹礼及其廉耻了！

另外——各位远房外亲八竿子打不着的外道们——今天，你们就别跟这捣乱了——各位吃国学饭的家伙们！

我们满族人自清门户

——外人休得多嘴！

我们玩跤、射箭、骑马

——军事工作——这个是不行啦——做政治工作——思想工作——吃开口饭——这个还行。——我们——文明啦。

——成文人啦。

怪不得钱学森强呢

——夫人——蒋百里之女——蒋百里——民国陆军大学校长啊。

天地君亲——师

——有您什么事啊？——您把自个儿添上了——并肩称圣——为王——了？教孩子点好——这事值得夸耀么？还不是应该的——就因为爹不像爹妈不像妈——才把您捧出来——缺什么喊什么——不怪您个人——您一辈子老实巴交的——让你当警察局长你就杀人——少正卯同志——不就是斜眼瞧你么——这还了得——积怨甚深的老师不能用——你看贪官出身——净是老师——脏心眼都憋心里了——i朝权在手——i通乱发泄。平常装得跟个人似的。

痞子坦荡荡

——老师常戚戚

怎么什么主义到了中国

——都成了聚敛财富的借口还堂而皇之——可耻!

中纪委应该禁止党员干部

——到庙里求签问官路——凡违反者一律开除出党!

可惜广州十万犹太人

都被黄巢杀了——这满城尽带黄金甲的落第秀才——至于的么就积这么大仇非要把全国人杀光吃光——开封剩那几户的犹太人——第二次人口普查的时候户口本上必须填汉民或者回民——因为中国五十六个少数民族里没犹太这一族——有俄罗斯。

到以色列使馆要求移民时——以色列有规定:凡犹太人有天然权利回归以色列。——使馆人问:你们是父亲是犹太人还是母亲是犹太人啊——都不纯了。——回答:父系(按中国习惯)。人说:对不起,我们是母系——母亲是才是。——您想啊,犹太人世界飘零任人欺负,好多孩子哪儿找父亲去啊?——拧巴了。

看一纪录片——就波斯猫还纯。

罪人尚且可以得到宽恕

——何况犯错之人——前提是你要知罪、认错——不要狡辩——推卸责任——文过饰非。——每个人都将是自己的最后审判者——在垂死之际。

工作六天休息一天

——吾日三省吾身——得儿哥，你那叫焦虑症。

如果把陈述事实都当成骂人

——那我可真无话可说了——回成都小朋友短信：您怎么又骂四川人了。——你们没被张献忠屠川么？四川人不是挺有幽默感的自称——现在开不起玩笑了——假如这是一玩笑的话——没事吧你们？整个城市准备申请非物质文化遗产么？——也来开开我们北京玩笑。

我认识的四川人可还真没这么小心眼的——人家真正哈比人后裔都没所谓。

杭州小朋友来信

你认为当南方人很光荣么？很纳闷的样子。我回：当南方人也没什么可丢人的，我意思是咱们是一样的人。她回：可是引起很多人非议……

我心说：很多人是多少啊？那就活该了——实在想不开的闷葫芦——你们有本事就证明你们不是河南人。

——当河南人很丢人么——我倒要反问了。

想当年衣冠南渡

——你们当地土著可是哭着喊着学人家河南人的风俗吃羊肉起司——服药石——练清谈——侃大山。——现在怎么又不会聊了——忘了？——光顾挣钱——炒股了吧？

——还是会聊的都被雍正发宁古塔了？——当东北生产建设兵团了老年间的——怪我们怪我们——大清忒不是个东西。

——你们可千万别逼我说这点衣冠又北回了——净把不靠谱的留下了。

我们老王家和老谢家

——可没少往你们那儿送温暖——送文化——还保卫你们呢——淝水之战——八公山上草木皆兵——站第一排的都是我们老王家和老谢家的子弟兵。

我是有优越感

——我也觉得自己挺讨厌的有时候——我们不是已然飞入寻常百姓家和你们打成一片了——吹牛逼还不许呀——不让吹——以后改——这总行了吧——你们也吹呀。

纵观中国历史岂止落后要挨打

——先进也要挨打——北宋不先进么？——只要人类崇尚武力——暴力——兴衰更迭——大轮回——就是自然规律。

——世界也是如此——多少古文明不挨打也要湮没。常将有时想无时吧——我这个杞人忧天的人。

正如爱情

纵然没人横插一杠子——临了还是要分手——永不相见。亲情、友情莫不如是。

白头偕老是几年呀？

卖药不对

——强制推销更是应予谴责——具体情况具体对待——打使馆

招来八国联军可是你自找的——我看要不是联军打垮了清军主力——打颓了清国自信——辛亥革命也不会那么轻易成功——大清不亡是无天理！

拍四川人一次马屁

武昌首义——其实首功应记在四川保路同志会头上——袍哥大爷们先跟赵尔谁——码了。

另一功要记在冯巩他爷爷头上

——冯国璋同志真要挥军过江——我看黄兴同志抵挡不住——当然还得说后面有河南人袁先生运筹帷幄——憋着坑我大清孤儿寡妇的心。——三里河“厚德福”的英雄三吃鱼还行——不知还在不在——过去在44中念书去胡乱吃过——只是黄河没大鲤鱼了——三门峡不让人鱼跳了。

文史资料记载老袁一顿早饭吃二十个白煮蛋不算别的——粥也喝无数碗小菜一群还吃馒头包子——大鲤鱼只吃皮——拿筷子那么一卷整张皮塞嘴里——太能吃了大总统一米五儿。

辛亥革命也被老袁一鱼三吃了。

有人替大清先亡于列强

再亡于河南人、四川人、湖北人、广东人之联手感到惋惜么——我打听打听——我们满族都不在乎——其他族就别假装悲愤了。

那时候广东人是全国最猛的

广东军人在全国有一号张发奎薛岳各种叶帅什么的——现在

怎么全掉钱眼儿里了？开心就好——没觉得你们有多开心——又是没什么想什么！

两广纵队抗日有功——正经是我党领导的武装力量八路军新四军之外的另一支主力——华南抗日游击队系列之一；另之二是琼崖纵队——红色娘子军的老部队——那时海南还没建省归广东辖区——所以也是广东——之三是云贵滇边纵。

《双十协定》签订后——两广纵队连排干部集体北上山东——辽东——坐木船——成了我军装甲兵的底子——后来。

战士就地解散——成了改革开放后第一批进来的港商。

南极可要化了

——北冰洋可要开了——你们填那点海就要被淹了——别那儿瞎忙活了——就数你们那儿空调多——到时可怨不得别人——香港人。

吃在香港？

——真行——这也值当拿出来吹——我吃过——除了广东菜你们哪儿的菜都不地道——都不如人本国地道。

就譬如说我——我能到你们香港吃烤鸭子——涮羊肉去么——别气我了！

你们行不行啊？

——那点缆车都搞不定——让意大利人把你们蒙了吧？

奥运会你们能不能派个团

来给我们唱唱唐诗啊——听说用你们那儿话唱特押韵——宋

词估计也行——客家话估计在点上——行不行给个痛快话——这二年净帮你们了。

求你们了

——别再吃猫肉了。——猫、蛇、老鼠——合着这食物链都让你们包圆儿了。再闹出“非典”来真跟你们急了！

香港工人阶级原来很强的

——搞过一次省港大罢工——二十年代还是三十年代上世纪——左派也很强——“文化大革命”还搞过一次暴动——都让港英当局给摁了。

增补：如今却满大街铜臭味！——大罢工好像是苏兆征领导的。——那就是北伐时了。

看到80年代以降

我们又成功地教育出无知、怯懦、蒙昧、市侩的一代，殊感痛心——我说的这个“我们”——包括我。

人类是主动停止进化的唯一物种

——又有了新证据——密歇根大学安荷伯分校遗传学教授张建智与其同僚比较了13888份来自人类、黑猩猩和恒河猴的DNA序列，发现自600万年前黑猩猩和人类从共同祖先分离后，黑猩猩有233个基因发生了改变，而人类发生改变的只有154个。这一研究结果已在PNAS杂志上发表。——《新发现》7月号总第22期16页。

他们的结论是：自古以来人类数量大大少于黑猩猩，直至近几个世纪这一状况才有所改变，从自然选择而言，更多的个体能够提供更多的有效选择样本。

我不太同意他们的分析——难道唐宋乃至先秦战国——埃及法老时期地球上黑猩猩数量多于人类?

我以为是工具和驯兽的使用使姚明这样的人失去了进化成吊车——刘翔进化成跑车——的可能。

不进则退

——实际上我们四肢比刚从树上下来已经退化了不少——抓不住树枝荡秋千了——听说将来上了太空，腿要完全退化——没地球吸引力了——退化——或曰进化成四只手——在太空舱乱抓把手。

有了克隆技术，生殖都在瓶子里——生殖器也不是太需要了——快感可以通过通电获得——再戴上一三维眼镜眼前摆一电脑。

就剩大脑了——确实在增加重量这些年——i大脑袋四只手，人相儿够大的——八只手得了——成八爪鱼了——但是，还是费粮食——太空挺不好种的——留台电脑驾驶得了。

看到那么多少男少女

一事无成却失去天真——殊感痛心——老于世故我不认为是进化。

连环杀手往往是憎恶女性者

——童年受到母亲忽略——恋爱再度受挫——虐杀弱者当然可称之为懦夫!

相由心生——其人一般多相貌丑陋古怪——丑人多作怪——在某种条件下还是有道理的。

仇恨会扭曲人的脸

——我就由一个清纯少年变得凶相毕露——当然我仇恨的不是女性。

相关链接——秦香莲们一般都脸色铁青。

女足要上去

——想让全体女孩子踢球——首先要改变审美观——别怕晒黑了。

这支女足要在08奥运拿冠军——那一定是裁判帮了忙——咱还不至于来这套吧跟韩国似的。——说实话都跟不吉利似的——骗自个儿干吗?

20世纪80年代,美国心理学家和精神病学家曾对虚假回忆……

特别感兴趣。……很多人在催眠的状态下,突然回忆起自己童年曾经有过的创伤性经历。……但问题的关键是,调查发现,这些回忆中的很大部分完全是虚假的!

……美国西华盛顿大学的艾拉·海曼利用一个简单的方法成功地完成了这一试验。她向一组志愿者讲述他们童年的真实往事,这些都是他们的家庭成员事先讲给艾拉·海曼听的,但是,在这些真实情况中(真的真实么?),她穿插了一些杜撰的故事。她告诉每一位志愿者,在一次婚礼上他们曾将喜酒洒了新娘子的父母一身。起初,没一位志愿者能够回忆起这件事……但他们中的四分之一经过两次交谈之后便被说服，相信确有此事！

这种真真假假的杜撰故事之所以能够成功，是因为人们会忘记他们记忆的来源和背景。当别人向你讲述完全杜撰的童年往事时，你当然不信。但负责将信息存储在长期记忆里的海马还是将这个故事储存了。如果你的大脑皮层忘记了这件事的来源，当别人再一次问及这个话题……这件事便与其他真实回忆混淆，让你确信自己的确有此经历！引自《新发现》2007 年 4 月号 80 页。

王：谎言刻在竹简上就成历史。

人类基因无法跟上时代的节奏

——生活中总有极具讽刺意味的巧合。就在联合国刚刚宣布自今年起全球大部分居民都将在城市中生活不久（见《新发现》2006 年 9 月号第 12—13 页），认知科学领域的最新发现却发现人类大脑还保留着完全适应史前时代的认知倾向！引自《新发现》2007 年 4 月号 30 页。

王：过去上海人总讽刺北京是个大农村，住着一帮农民。现在看来还是客气了，何止是农民（当然是指沉浸农业社会价值观的人），简直是一帮史前人——当然上海——全球各冒充国际大都市的城市包括纽约巴黎无一幸免。

现代的世界原始的我们

……暴力倾向、嗜好冒险、害怕失去……所有这些史前时代已经形成的认知倾向，至今仍然为人类大脑所保留。——《新发现》2007 年 4 月号 30 页。

王：高等动物——别不要脸了！

相关链接——猫科动物——半个月吃顿饭——照死了揣往胃

里——i年发次情——当然次数密点——i天打两百炮——每炮六秒——不盖房子住草丛里——六岁辞世回馈大地耐心地等着变石油。——这就是道法自然啊——比人道德水平高到不知哪里去了。

相关链接：猫科歌利亚人——狮子——已经往母系社会进化了——所以最残忍——有杀戮同类——非本人血统小狮子——儿童——行为。

冒险神经——

法国马赛地中海认知神经科学院的奥利维尔·布林是一位研究感情、冒险神经的专家，他解释说：那个时候（远古），因狩猎而受伤或死亡的风险相当高，但这一冒险也是获得食物的必要途径。结果，进化过程促进了人体内冒险神经的形成和发展，具备这种冒险神经的人获得食物资源的能力最强，并由此提高了生存下去的几率。……至于那些没有或很少这种认知倾向的，则在自然选择过程中逐渐消亡了……

奥氏领导的实验室就曾在跳伞运动员和飞机驾驶员的大脑中找到冒险神经的踪迹。……在那些极限运动爱好者的大脑中，某些神经元表现得异常活跃，尤其是多巴胺能神经元。多巴胺能产生十分强烈的快感（王：巧克力和MDMA——俗称摇头丸，台译：狂喜——也是刺激多巴胺分泌）。……对我们的祖先而言，这种神经活动是必不可少的生存条件，而今天却早已不再如此重要了。在冒险神经的推动下，有些人成为战地记者、特技飞行员，甚至是企业家，有些人则大玩蹦极或者极度沉湎于赌博，甚至驾车逆向行驶，一切都只是为了获得“肾上腺素涌起的快感”……

王：统称为匹夫之勇。

200 某年瑞士举行数十万人参加的锐舞派对

北京去了一个神头鬼脸的代表团。一位老太太赫然出场时，大会宣布这是我们英雄 DJ 的母亲——就像电影《英雄儿女》里宣布王芳是英雄的妹妹一样——老太太大概是上世纪六七十年代锐舞文化刚在欧美兴起时一位已故老炮儿的娘。这位英雄 DJ 母亲一把抱住北京代表团杨东同志眼含热泪地说：我们盼你们盼了很多年啊——终于把你们盼来了。

当日瑞士当地各报头条：契丹来人儿了……

当然北京团里混了很多假骇的歌手。

无益的倾向

——2002 年诺贝尔经济学奖获得者、心理学家兼经济学家丹尼尔·卡尼曼在上世纪 70 年代通过研究最早发现这种认知倾向，并称之为“对失去的恐惧”。……卡尼曼指出，在股市中，股民的决定理论上应该是理性的，但实际上却经常会受到某种感情因素的影响。这种感情因素促使股民本能地选择在短期内不会造成损失的交易行为。然而，从长期看，这种选择反而会导致其他决定本来完全可以避免的损失。2001 年美国马萨诸塞州综合医院神经学科研究人员汉斯·布赖特通过对赌徒进行神经成像研究，再次证明了这种认知倾向的存在。……对于相同一笔赌资而言，当赌徒有可能输掉这笔钱时，其大脑活动要比可能赢时剧烈得多。——王：怪不得那么多人输不起。

……在获取猎物并感受到对失去猎物的恐惧情绪之后，我们的祖先会全力保护自己的猎物，防止其他生物将其夺走，尤其是通过暴力手段。……暴力倾向赋予人极高的适应能力，因为使用暴力可以在许多方面提高生存和繁殖几率。

王：我们怕失去的东西太多了。

优劣并存

暴力不仅对个体意义非凡，对于部落也是如此，比如抵御……或是攻击那些拥有宝贵资源的部落。哈佛大学心理学教授、麻省理工学院认知神经科学中心主任斯蒂芬·平克解释道：通过对现代人身体和大脑的解剖研究，我们发现了有力证据，能够直接证明攻击性的产生机制的确存在。体形、力量和人体上半身质量的特殊重要性说明人类的进化过程中充满了男性之间的暴力竞争。而在大脑方面，我们现在已经知道在发生冲突的情况下，植物神经系统和大脑边缘区域会自动命令身体做出本能动作，例如露出牙齿、握紧拳头等反射，抑或是打斗或逃跑等反应。

从史前时代一直传承至今的暴力倾向给我们带来的既有益处也有害处（有益的方面譬如拳击、橄榄球等体育运动，害处则如足球流氓）——王：真客气。

……当然，现在的情况正如大卫·布斯指出的那样：个人之间的冲突不再通过肢体暴力，而是通过警察局、法院等特殊机构加以解决。——王：国家暴力专卖。……与此同时，战争和武装冲突依然频繁爆发，说明暴力倾向在我们的世界中依然寻求着表现机会……

我们还继承着另外一种更为平和的认知倾向

——这种让我们成为利他主义者的认知倾向，渊源同更新世时代形象的暴力倾向一样久远。斯蒂芬·平克对其他灵长类动物相似的行为进行观察后指出："所有一切都说明各个狩猎采摘部落都奉行'相互的利他主义'，也就是说对处于困境的亲人施以援手，同时期望对方在自己遇到困难时也会给予帮助。采取利他主义做法的人生存下去的几率远比利己主义者高得多。”因此也就更有机会传播他们的基因。（王：其实是高一等的自私。）对于这种帮助自己亲人的认知倾向，无须花太多工夫就能找到其在现代社会中的踪迹。例如献血、参加大型人道主义活动，乃至为迷路的路人指路这样的小事。是否可以认为，在这方面，远古时代的遗产总算能够适应现代生活呢？不一定。现代社会里，无私的帮助因人口众多而被削弱，无法保证受到帮助的人一定会反过来帮助曾经提供帮助的人。那些为陌生人慷慨挽袖的献血者并不能确定受血者有一天也会为他们献血。

王：所以必须在受助者得到帮助前强迫他们签订帮助别人的契约——譬如死后捐赠器官。

人啊，原来你并不怎么现代！

认知科学的最后一项发现指出，我们的……祖先确实奉行相互的利他主义行为，然而他首先想要援助的还是与其血缘关系最近的人……也就是间接帮助传播自己的基因。……“亲缘辨识”倾向至今依然隐藏在我们的认知当中。许久以前，亲缘辨识帮助我们的祖先提高基因传播的几率，而在现代社会中，这一认知倾向却会带来任人唯亲、种族主义这样的害处。以上均引自《新发现》2007 年 4 月号 30—33 页。

王：合着我们都是自私鬼、暴徒、冒险家的后代。好人都被淘汰了。

男的使用上半身获取食物

——女的使用下半身获取食物（此言纯为传播信息之目的，绝无半点不尊重女性和淫秽的意思)——秦香莲们。国家地理频道报告说：在我们的表哥黑猩猩种群中只有一种索马里侏儒猩猩不是通过暴力争夺而是性交易获取食物——这帮小丫的还有同性恋和二过一什么的。——要做爱不要战争——是当年嬉皮士反战的口号——有人反对么我打听打听——道学家们好战者们——婚内性生活也算在内啊——和尚不做爱但和尚主张和平听说也是时尚了——和尚境界高——向索马里矮哥学习——这也是我一向主张由女人主政的缘由——做爱比赛总比军备竞赛强——您说呢——事儿逼们?

淑女好逑

主流观点认为，哺乳动物的交配系统总是被雄性掌握(大款——权力是最好的春药)，然而，*Nature* 杂志报道，南极的毛皮海豹却与众不同：雄海豹不养育后代，在择偶时处于被动地位，等着被雌海豹挑选，而雌海豹会游到三十五米远的地方寻找配偶，因此它们间接地决定了父亲的基因(不光是海豹吧，人游得比它远——海外游子不远万里到海外寻找交配机会——成功率高的也是雌性——男的基本都瞎了还得回国找对象)。

……

雌性海豹的积极行动甚至可能挽救了它们的物种——解决了所谓的动物求偶“lek 矛盾”问题。lek 意即物种求偶集会(派对——时装表演)，许多物种的雄性聚集在此展示它们华丽的皮毛(男模——摇滚歌手——港台男星秀——NBA)，以招徕等待的雌性，而 lek 矛盾即是：如果所有的雌性都只选择“最帅”的雄性，将会形成相似的遗传特征，基因多样性就会慢慢减少，面临同系繁殖和近亲交配。……引自《新发现》2007 年 5 月号 18 页。

王：歌迷都是近亲么——将来？谢天谢地我们人口基数大——大款高官很多丑人——保证了我们的生物多样性——谢了先——坚决支持雌性不以貌取人——到农村去——广阔天地大有光棍。

想要生宝宝，多吃冰激凌

……这是因为低脂肪饮食会影响女性的排卵功能，由此引起“无卵性不孕症”。……《新发现》2007年5月号20页。

王：反之，减肥连带避孕了——就跟谁多爱生小孩似的。男的狂喝脱脂奶能“无精性不孕”吗？这又是哈佛一帮无聊的人搞的统计——我一般不太相信统计出来的结果。跟踪一千人——总会得出各种奇怪的倾向和几率。

塑料+肥皂：导致不育和肥胖

五十多年来，邻苯二甲酸盐被广泛用于塑料、PVC、肥皂、化妆品、洗发水、清洁剂、润滑剂、颜料以及延时释放药品表层，超过75%的美国人尿液中检出这种化学物质（显然，美国人属于不安全食品——如果要进口他们吃的话）。与此同时，科学家们发现男性睾丸激素水平和精子数量大为下降（反正我无所谓），而动物和人体实验揭示，邻苯二甲酸盐导致雄性个体的睾丸激素水平和精子数量下降，还会引起小男孩生殖器产生轻微变化。（是大了还是小了——还能小到哪里去？）

王：就人口过剩的今天，显然这是一福音。

一种名为“最后通牒”的游戏发现了大脑中

惩罚不公正现象的区域。游戏将互不认识的参与者两两分

组，每组中的甲得到二十美元，并要求分给乙，分配金额由甲自定。如果乙得到并接受（甲）所给予的金额，甲乙两人才能同时拥有这二十美元；如果分配比例过低，乙恶意拒绝，双方就都拿不到钱，甲即是受到了惩罚。

人类是唯一能表现出爱憎分明的动物，——王：这里所谓分明的爱憎可转译为强烈的占有欲的满足和失去——超出自身生存和繁殖需要的——譬如强人拿到钱大都不是去买食物，性交大都不是为了生孩子——严格遵循自然律的有道德的动物当然不必如此表现。受惩罚的行为常被看成是不公平的。这种意识倾向的形成很难通过进化论来解释，因为它并没有明确的可再现的利益，而且惩罚往往也会给施罚者自身带来损害。

王：在我国，如果街上有人拦住你要和你平分20美元，那一定是个圈套。我国人民遵循的规则是要么全归我，要么谁也别想得到——撕了那张票子。所谓笑人无，气人有——宁肯大家一起受穷——我们管这叫“公平”。

以上黑体字引自《新发现》2006年12月号20页。

先前的脑成像研究表明

当人们面对一项不平等提议要作出决策时，脑部额叶前部外侧皮层反应相当活跃。研究者指出，这是因为该区域抑制了我们的公平性判断。但是目前苏黎世大学的经济学家Emst feht等提出了相反的意见，他们认为这一区域的兴奋是个人争取自身利益的表现，它会对不公平的行为采取相应的惩罚措施。如果这一区域停止活动，人们依然知道不公平的存在，但不会采取相应的惩罚。他们利用电磁冲暂时切断脑部该区域的兴奋传导，发现即使面对不公平的提议，参与者也极可能接受。——王：还有一种方式可以永久切断该区域的传导——长达千年的洗脑，颠倒价值观，不断地和最悲惨的情景比较——所谓忆苦思甜——文化进入遗传——进入下意识——可培养出一种亚人种——奴才——真正怀有幸福感的奴才。

研究还发现……

这一区域是就是重要的道德评判区。大脑以它的公平性来权衡成本和收益，抑制人们原始的占有欲，学会与他人分享。这就是“最后通牒”中的甲在多数情况下会选择与乙平分的原因。——王：被文化切除了该区域的人是否可称之为无道德？我所经历的类似该游戏的情境中，如若我是乙，甲一般会告诉我：只有十美元。如若我是甲，乙一般会背后跟人说：是二十美元么？在一般情况下，我会把二十美元都给乙，或者表示放弃。我说的一般情况是指小额钱财——从前是十万如今是百万——之内——超过这数——我也不客气——你不信任我——我成全你！

对不公平的惩罚

是进化中的谜团，这种行为在动物世界非常少见（猫科动物对不公平往往是默默走开）。脑部额叶前皮层的发展进化只在人类大脑中存在，大脑这一区域发育成熟相对较晚，一直要到20—22岁才趋向成熟。——王：我们的文化现实是否可证明我们还处于婴幼期？也不要对青少年讲世界是你们的了，世界真要是他们的，那就是丛林法则——我曾为青少年我知道。

前几天聊天

聊到一个已经过世的朋友。很厚道的一个人乃至有些暮气，最终也死于厚道。他的得失观很有意思，譬如他写一集剧本是一万五千块钱，他不写剧本跟我们聊天就会说：你看我本来能进账一万五的，进账没有等于亏了一万五——没挣着的全算亏的——里外里亏了三万——就因为和你们聊天——你们得请客。——当然是笑谈了——当年。一参与聊天的小朋友讶异地对我说：我还真头一回听说这么里外里算账的。

还有一个朋友，也是编剧，以快手著称，人家提什么价都接受，从两千到两万。两千就当天交货，两万就写得仔细一点，反正每天所得不能少于两千，便宜没好货——反正我无所谓——我这朋友说。

记仇——那是找你核销债务

——免得你带着诅咒下世。宽恕——那是扯平后的特赦——从零开始。

劝别人宽容——让过去的都过去吧——那是滥好人——恶人的帮闲——其中不乏历史可疑的人——加害者都希望受害者失忆——在真相没有澄清——历史没有清算前——没有宽容。一报还一报——必须的！

有感于某同姓者给查建英打电话说我记仇——挑拨离间——卑鄙。

其实人类的生产力早已超出生存需要

——完全可以接受大多数人不工作——只要游手好闲的人接受工作的人比他们生活稍微好一点。

尼克松被仪仗队——身穿呢大衣的等高的中国士兵集体转头

——瞪着——感到的“受催眠般的影响”——其实是文化冲

击。——不信你去美国找一帮等高的美国兵集体瞪你一回。

韩国人质危机

是典型的于丹式的不怕给别人添麻烦（单人夜闯沙漠）——你以为你是阎王呢？——人家那里正是两大宗教原教旨者——小布什 VS 塔利班——交战酣热地区——你跑去传教——假装有爱心——人家把你当异教徒办了——你又㞞了——哀求本国——美国政府救你——你国政府在机场设牌子警告你不要去你管不了就知道你要出事——你假装虔诚——你准备好殉道了么？——我就没见一个圣战者在被逮、在死亡面前向媒体哀求的——这就是韩国式的不顾别人感受的假执着——冰性格——假骇！——假勇！

大胆预测：我不认为塔利班会杀害女人质。在伊斯兰教义里，妇女是神圣的。所以要包裹起来不许俗人色狼的淫亵目光玷污。

在各大宗教中妇女都是神圣的——除了孔子这孙子：唯女子与小人难养，近之不逊，远之则怨——这倒也是事实——俗世常情——女性对友谊、情感过分渴求近乎勒索——唐山大地震——男的第一反应——本能：是撒腿就跑——女的：是护孩子——去呼叫警告他人——女性伟大——在尸体陈列中——包括维苏威火山庞贝都历历可见。

男人是利己的

——女性是利他的——虽然可能只是为了保护基因。——虽然有很多长舌妇——讨厌。

我也同意克己复礼

——但复的不是周礼——是道法自然的那个自然律——吃饱了

不饿——弱水三千我只取一瓢饮。——鼹鼠饮河不过满腹大厦千间夜卧八尺什么的云云。过渡期偶尔奢侈一下也是允许的——反正我花自己的钱没罪恶感。

人总有一死

——或引人同情；或不以为然；——大快人心——人心可怖！

上合军演太好看了

——反恐拯救人质——军事演习比什么团体操组字奥林匹克开幕式好莱坞荷里活拉斯维加斯大型烟火图兰朵麦姐秀都好看——小时候看过军教片《苏军地涅波河大演习》——八一厂拍的——建议八一厂把军事演习当秀拍了发碟——绝对卖钱——大银幕视听效果也绝对比美国大片牛掰——都——不是真的——但比电影——斯皮尔博客——真—— 一点。

一个蒙古朋友说

是朱姓明朝有意识卖给他们的酒精——每年秋天去草原杀他们比车轮高的男孩——改变了他们的民族性（还有喇嘛教——我以为）——使他们的男人都成了酒鬼——从一个好战的民族成为一个感伤的只有长调的民族。——汉族知青对蒙古既往史的想象——狼图腾什么的——特别幼稚不知所云。

刘索拉说

中国没音乐。——只有一些淫声——我以为。

中国也没舞蹈

——只有一些身段、杂耍——堂会过场节目。所谓中国古典舞是苏联专家生攒的——五十年代。

伊拉克队踢得真牛掰

——悲情出冠军。

根据分子生物学家的说法

东亚直立人——山顶洞人的后代——基因——留存至今的比例是一百万分之一——如果还有的话。——十三亿除一百万等于一千三——其余的我们都是非洲一对夫妇的纯种后代——嘿嘿。

考古发现：十万年前到四万年前——非洲智人到达东亚之际——有六万年没有人类化石——都灭绝了——北京猿人们。非洲人的迁移路线是从南——东南亚——往北——北方人再也不能冒充文明起源了——嘿嘿。

祝贺南方人——你们的文化自卑能好点么?

汉语起源于印尼语——非洲话

——有人微拧么?

显然,文明古国不少

——但都是非洲人建立的——还有人自夸文明优越么?

由四万年前上溯十万年前

——六万年时间内没有东亚人存在的痕迹——化石——但是有猩猩、犀牛、大象、马、鹿的化石——显然不是环境变迁——冰河纪造成的灭绝——还能是什么呢？——战争——内斗？——瘟疫的可能性都小于战争——怎么没传染猩猩呢——咱们的表哥？

缺德——自私——导致灭绝。

揭示点常识就被封圣

——这是中国人的悲剧。

其实上帝和魔鬼是一体两面

——这话我好像以前在哪儿说过——人只会择一而从。——我就不评价你们的档次——用你们爱用的词儿——克拉斯（编者注：class）。

连吃两碗白米饭的诀窍

——第一碗少盛——平碗——快速吃完——第二碗冒尖——严严实实——慢慢享用。——四中队的上海兵第一次看到二米饭——小米加大米——以为是蛋炒饭——叫苦不迭。——上海兵比北方兵抗冻因为他们冬天没暖气——出操还有只穿毛衣的——刷利！

海军专业之地域分布

北京西城兵学操舵；上海兵学电航——罗盘什么的；北京通县兵学报务；吉林兵学轮机；哈拉宾兵学什么来着忘了反正也是细活儿——依教育程度分配——枪帆兵知识程度最低。——分配给广大农村地区兵员。——舰长必须会操舵——跟司机似的。——靠码头不靠谱就撞船——最牛掰的舰长前进三——靠码头——我们一帮孙子拿着靠垫垫船帮子。一次，一条拖船不靠谱直接靠上我们船直接把二五炮给撞歪了——船长还上来道歉——

就跟汽车并排趴车似的——但海是涌动的——愣把我晕车给治好了——摇啊摇——摇了两年——睡摇篮——苏小明：海浪你轻轻地摇……

其实，诸葛亮就是周恩来——转世

——所以一聊出师表那么多人那么激动。——挺不容易的都。

中华民族失去了孔子诸葛亮这样的圣贤

是挺悲哀的——那也不能拿小学老师和能臣充数啊——悲哀就悲哀呗，承认现实吧——悲哀出偏执——偏执出妄想。

舞蹈起源于假骇

——史前人忘乎所以支配运动肌肉和关节形成一些诡异的手势和妖娆的身段——因为他们在洞里烧妇女采摘的麻黄草仙人掌洋金花大麻——被烟儿熏大了——中枢神经被抑制后运动肌肉和关节会产生自主运动——也许还喝了蘑菇汤——山洞艳丽岩壁在呼吸——我以为他们在猴儿的时候就知道这些植物有治疗、安慰和美化视觉的作用——天天篝火天天比画来比画去——很陶醉——先下劲儿的、坐得远的外圈的就观赏——有跳得特别奇怪的大家就学他——清醒地模仿——此人后来成为巫师——跳大神——说一些不受人格约束的话——貌似特有远见——人民就有样学样扭扭腰笑嘻嘻庆丰收了——或者调情——庆生殖了。

人的潜意识里有多少黑暗记忆

——回到史前人类山洞里，——火堆旁，——盗窃、性交易、诈术——分散注意力——盗取食物；——都是弱者的生存之道——

此道自我循环，已进入基因。

山海经那都是聊幻觉呢

——神秘主义其实一点不神秘，只是大家不敢或不愿正视现实——咦！镜子似的，还成真了。

站在游牧民族之后的立场看

——南方汉人以柔克刚——腐蚀、笼络、融化强势外侵者那一套身段功夫黄赌毒正大肆施展——坑了不知多少人——引出耸动大案——冒充传统文化——精致文化高雅文化神秘宗派。这就是所谓中华文明的博大精深么——哼！

黄赌毒中为害最烈真正可使人万劫不复的是赌

——偏偏它还合法了——正如上瘾类最烈之酒精。

今天这个可怜的陈后主，后庭花是唱不成了，

——只能吹吹喇叭了。

物

量子流

量子流是自由的，任意的，无所谓左右的。

真正的天国浩瀚无边，没有一个天使到过那里，没有一颗人心能想象。——引自《犹大福音》耶稣基督对犹大说。

不服从又谨守任何定律和规则。

零乘任何数都是零

但是零不是神马都没有。苦苦寻求目的和规则的人掉井里了。

能量界现象之一

电阻越大，电压越大。与物质界正相反。或曰：能量界任意左右旋。人体生物电服从能量界。或许这正是人自以为是的根源。

有物混成，先天地生，寂兮寥兮，独立而不改，周行而不殆，可以为天下母，吾不知其名，字之曰道，强为之名曰大。引自老子《道德经》。

我强为之名曰：能量。

增补：能量从上到地，是谓上帝。人是上帝子民，逻辑成立。但是口音太多。

和自己聊：所以逮唱呢。唱不够，还得电子乐。一不留神听懂了，真醒药。

能量界现象之二

量子流极其活泼，任意内旋，滔滔不绝，受电子乐带领，生万象，随生随灭，充满喜悦。

电子乐——上帝的语言，极具描绘性。声浪修改画面，是谓幻觉。

我说量子，是名量子；或曰：能量流。我说能量流，是名能量流。

就你有核动力啊

每个人都是核动力，灵魂深处爆发原子弹不是瞎说。虹化就是核动力。

hanyu biaoyin shidai kaishi le

shouzhangjingtongxueqifahanyuzouxiangbiaoyinshidai!

（编者注：

汉语标音时代开始了

受张静同学启发汉语走向标音时代！）

关于汉语拼音化的建议

其实把汉字单词化譬如祖国“zuguo”、人民“renmin”，加以空格，就可以避免重音和同音了。有些单词还可以缩写。单词同音，譬如味觉、未决，可以加时态以区别：weijueing 正在吃时；weijued 从前的回味。未决也赋予时态区别自然有了。二逼才分不出来呢。

盒饭与担架队

盒饭的白色太像担架队了。抬来食物链各战场厮杀剩下来的尸体残骸。雪白血红。川菜。

回庞兵关于暗物质

有情种子代代相传。

量子流现象之三

向心的，万流归一，如屁眼液体化，紧急内缩；逆流而出如不断喷薄、怒放的喇叭花。粉红，不！——明亮的橘红色。

你能想象一朵大菊每一条花瓣都轮子化，像“占座”的等待信号，不停旋转？三哥讲话：跃上葱茏四百旋。活画也。

关于汉字

把汉字，方块字，当三千幅画看，欣赏；五万幅也行。康熙字典有五万张画吧？这样老外就别发愁了。当艺术史读。逛画廊。文物啊都是。历史故事。琳琅满目。当然解说员得靠谱。神赛得懂画，别那瞎聊。交流就拼音吧。

中国还行。替世界保存下一部简写画面历史。要不中国没史诗呢，早速写、素描、记录过了。

随想——能量物质关系

物质界钉是钉铆是铆，桩桩件件，假装严。但是，能量界，无孔不入，水银泻地，所以，别聊了——物质界和能量界。

幻觉之一

哇噻！暗物质来了，黑衣军团，铜墙铁壁，物质上帝还有戏么？

幻觉之二

为什么老是植物呢？从前多少年都冷丁丁站着不动一丝一摇。今天怎么摇起来了，荡起来了，绿油油的，好肥喔。什么意思呢？将来植物领导地球？

头发会有电阻

（《越狱》里不拉着台词）——会妨碍生物电和雷电交流。

相关链接：头发长见识短。——不特指女性。

无中生有

必须在腐败物质——腻歪生成——飞出幺蛾子——我们叫创新——怪异——另类、接前卫时尚等而下之……

光滑干净等于一无所有。

这是物质规律——谁也别跟规律较劲了。中产——布尔乔亚——波西米亚——装逼——统统玩去——在艺术这个领域。

词源

情景生词。状态生词。

沉睡篇护甲心切

堪比爱德华巴士——寒碜版。

敌情每台电脑

每个字体，都有个性。

信息时代

——教育早就家庭化、自我化、终身化。——学校——不就是聚众聊天的地方么——谁还需要一个面瓜上去照本宣科？网上手机都聊飞了——爆炸了信息——还听你的？我看学校早晚要消亡——没必要圈个院子么——上班都跟家了——上学还用出门啊？

——上街的都是专门出来玩的。酒吧饭馆夜店就够了。办公楼可以歇了。

研究人员通过临床观察和抽样研究发现

过早摄入某种致瘾物质尤其是酒精，会提高对该物质，乃至其他致瘾物质上瘾的可能性。——王：照理应该先禁酒——尤其是母亲酗酒。……

胚胎阶段之所以显得如此关键，是因为大脑在胚胎阶段尚未发育成熟，很容易受到有害因素的影响。以米歇尔·勒莫阿尔为首的波尔多研究组所进行的动物试验表明，母体在妊娠期间，甚至产后不久感受到的压力和紧张，都会导致胚胎或幼儿海马回（与记忆有关的大脑区域）内神经发育不良，以及下丘脑—垂体—肾上腺皮质轴（对压力产生反应）和神经传递系统发生障碍——所有这些机能紊乱现象都可能使机体更容易对致瘾物质上瘾。按照同样的思路，以泰蕾兹·克斯顿和托马斯·克斯顿为首的美国休斯敦贝勒医学院研究组发现，幼鼠如果在出生后第一周内每天与母鼠分开一小时，成年后就更容易主动吸食可卡因……

王：还是老问题——童年创伤——我们的母亲啊——都上班去了。

皮耶·文森佐·皮亚扎所领导的研究组发现

原本对安非他命毫无兴趣的大鼠（安非他命对大鼠不会产生任何明显的效果），在挨了十几天饿之后开始对安非他命迷恋起来，并能感觉到毒品所产生的效果。从洁身自好到自甘堕落，这些大鼠的变化说明了对致瘾物质的敏感性问题上，基因这一生物学因素和环境因素共同起着作用。

王注：安非他命即冰毒。

人体对各种毒品的依赖性明显不同

可卡因——76%；阿片（即鸦片）类毒品——73%；烟草——60%；酒精——39%；安非他命（苯丙胺）——26%；大麻——23%；药品（精神药物安眠药安定什么的）——20%；致幻剂——0%。（刚找到%键——真现）

本图根据八种毒品分类，显示了在每种毒品总使用人数（使用次数超过六次）当中，上瘾人数所占的比例。

这一调查是法国卫生部在国际精神问题分类统计的基础上完成的。精神作用药物依赖性的相关数据是根据戒断症状出现的频率推算出来的。《新发现》7 月号 39 页。

王：这一数据应该也受所在地区某一类毒品流行的程度影响——譬如在滇缅边境——应该没什么人斗可乐——阿片类依赖比例最高。

各类毒品的戒断反应和辅助胎疗

1. 大麻——急性戒断症状：戒断症状可持续五天，伴有不同程度的失眠、焦虑、抑郁和恶心。

辅助治疗：辅助治疗并非必须。可配以抗焦虑药物和心理辅导。

2. 精神药物（抗抑郁药）——急性戒断症状：血清素和去甲肾上腺素受体的敏感性回复正常水平，造成活动亢进，由此导致焦虑和失眠的出现。ADT 的戒断可导致腹部疼痛。ISRS 的戒断可改变感觉认知。IMAO 的戒断难度更高，可导致记忆和推理困难、妄想（同酒精戒断引起的妄想症状类似）和自杀倾向。

辅助治疗：需要医疗看护和心理治疗。

抗焦虑药（安定）和安眠药——急性戒断症状：可持续 2—10 天，包括疼痛、高烧、心理问题（有时极为严重）。

辅助治疗：突然戒断需要医疗机构的帮助，可通过药性较弱的苯重氮基盐类药物逐步替代治疗。

3. 可卡因——

急性戒断症状：抑郁和失眠可持续两周。

辅助治疗：戒断治疗，特别是心理戒断治疗，并不一定需要住院。一些治疗机构提供心理辅导和抗抑郁、抗焦虑治疗。

复发可能性：戒断后六个月复发率为45%。

4. 安非他命类毒品——

急性戒断症状：五天之内症状明显，与在毒品持续作用下神经递质和受体数量稀少有关。戒断症状和治疗方法同可卡因的一样。

王注：二者都是兴奋类。

5. 阿片类毒品（鸦片、海洛因、吗啡、美沙酮等）——

急性戒断症状：阿片类物质神经系统发生紊乱和去甲肾上腺素含量上升会导致疼痛、焦虑和神经活动异常频繁（7—10天）。

辅助治疗：需送入健康和工作安全中心配以心理治疗和替代品治疗（美沙酮、似普罗啡）。

复发可能性：戒断后复发可能性为60%—75%。

6. 致幻剂（LSD、致幻菌类和仙人掌）——

戒断：只需要心理戒断。抗焦虑治疗可避免睡眠障碍的出现，有助于心理治疗。

7. 酒精——

急性戒断症状：长期酗酒一旦停止，体内阿片物质分泌的减少会导致痛苦状态的产生，并有可能导致重新酗酒。体内平衡状态的变化表现为抑郁（多巴胺分泌减少）和烦躁不安的行为举止（神经活动异常活跃）。相关机制的复杂性提高了酒精戒断的难度。高血压、失眠、焦虑、痉挛、感官幻觉、暂时定向性障碍等急性戒断症状可持续一周时间，有时还会出现神志不清、发烧和人格解体——王：人格解体——嘿嘿。

辅助治疗：由酒精中毒医生负责或在专门机构进行治疗。通常需配以心理治疗和抗焦虑治疗，以避免某些戒断症状的出现。

复发可能性：很高。50%的酗酒者在戒酒后六个月重新开始酗酒。

王：喝大酒引发暴力倾向——闹酒炸——严重讨厌酗酒者——

酒腻子——每天电视里的酒广告实际是贩毒广告。

植物控制动物的方式

——你猜是什么?

今年三个7

明年三个8——后年三个9——到13年这些个吉利数才算编不动了——没那么多月了。后面的连数还有22.02.22——33.03.03——77.07.07依次类推——管什么用啊?

重生的光

哈佛物理学家Lene Vester-gaard Hau教授……在*Nature*上她第三次发表论文,称在实验室观到了被重新塑造的光……研究人员首先将一束光脉冲射进一团拥有二百万个钠原子的超冷原子云团中(其中的原子都处于玻色—爱因斯坦凝聚态),光束在其中迅速变慢——降至十七米每秒(自行车的速度),最终在钠原子云中熄灭,但它在原子云中留下了携带自身信息的“记忆”。这可解释为“控制”激光束将光脉冲的形状写入原子波内,当关闭“控制”激光束且光脉冲消失时,“物质拷贝”被保存下来。

接下来,他们将携带光束“记忆”的部分原子导入另一团超冷原子云中,并用一束激光束射向它们,原始脉冲“记忆”被触动,扩展到整个云团,再次释放出光脉冲并射出云团,且速度迅速加快。……引自《新发现》2007年5月号19页。

王:这可解释:1. 为什么有的人总是活见鬼。2. 不是人才有历史感。3. 当宇宙变得无限大,能源耗尽——无限冷,可以想象时空怎样被冻住——结束。

北京异常

华盛顿大学的地震学家 Michael Wysession……分析了世界各地收集而来的多达六十万份的地震波图，注意到在亚洲大陆地下，地震波出现了减弱的现象，而且传输速度也略有减慢，因此判断那里存在大量的水，含水量不低于一个北冰洋，这是人类首先在深部地幔下发现如此巨大的水体。……Wysession 在北京大学陈述他的研究成果时第一次用了"北京异常"这个称呼来描述这种富含水的新的地下结构。（要是在巴基斯坦他会说是伊斯兰堡异常么?）

王：怪不得 1976 年唐山地震我在床上被颠得跟踏浪似的——果然是水床。

建议小学课本改为《十万个为什么》

——先把常识普及了。——做那么多加减乘除干什么?

以中国的国情——人多地少

——与其推广高尔夫——还不如先推广弹球呢。

美国的爱而不拉斯主战坦克

没油了——加了香水也能跑。

经

西藏度亡经

原名《中阴得度》。
莲花生著
藏文英译：达瓦桑杜　汉译：徐进夫
宗教文化出版社出版发行(北京崇文区沙子口路72号9层3号)
电话：7218906
邮编：100075
联系人：史平　张越宏
1995年8月第一版　1995年10月第一次印刷
印数：0001－50000
定价：15.00元
凡邮购图书，加百分之十邮费

第一章　导言(节选)

高文达喇嘛

也许有人争论说，凡是还没有死的人，都没有资格谈论死亡之事；既然不曾有死而复活的人——既然没有——哪会有人知道死亡是个什么？死后的情形如何？

西藏人将会答道：实在说来，世上没有一个人，没有一个生物，不曾死而复活过。我们每一个人，在转生来到此世之前，不知死过多少次。因而，吾人所谓的诞生，只不过是死亡的反面而已，就像一枚硬币一样，有反面有正面，或如一道大门一样，从门外看是“入口”，从门里看是“出口”。

中阴——

就是人在已离人世之后，尚未投胎之前这个名为“中阴”的阶段……

第三章　正文

（乾编）临终中阴与实相中阴

此下所述，为中阴境相现前时入观实相之法：死后听闻“观想喜怒诸尊得神识自在大教”而得大解脱之法。

皈敬偈

皈命神圣净法身：光明无量不可称；
皈命神圣圆报身：莲部以及喜怒尊；
皈命莲生大尊师：一切有情摄护神；
皈命历代诸上师：佛之三身我归敬！

第一节　引言

这部可使面临中阴境界的凡夫信士获得心灵或精神解脱的闻教得度大法，约有三分：初，序言；次，正述；三，结语。

序言者，这部帮助众生自求解脱的指导丛书，应由练习而得其要旨。

第二节　识神的迁移

上根智者，若以指导丛书练习，十拿九稳，当已得度；设或未然，若于死时中阴境相现前之际修习迁识之法，亦可仅因忆念此法而自得度。

一般凡夫信士，若修此法，十之八九应已解脱；其或未然，应于实相中阴境相现前之际坚忍不拔，一心谛听此一闻教得度大法。

首先，信者应当依照“观察死亡特征自度法”检视逐渐呈现的死亡征候，接着，死亡征候完毕之后，立即运用迁识之法，只要忆念其过程即可得到解脱。

第三节　本法的读诵

迁识之法如果已得到有效的运用，本法的读诵既无必要；设或未然，则需在亡者遗体近处读诵中阴闻教得度之法，读时需正确而又清晰。

设使遗体不在面前，读者应坐于死者生前常卧、常坐之床铺或座位之上，阐述真理的法力。接着召唤亡灵，想其在前谛听，而后依法读诵。在此期间，不应容许死者亲属或挚友悲啼号叫，以免产生不良影响，故宜节制。

设有遗体在前，则于呼吸甫停之际，由一位（曾是死者之上师的）喇嘛，或一位曾为死者信赖的教中同修，或一位曾为死者敬爱的好友，趋近耳边，但不触及遗体，依法读诵这部救度大法。

第四节　诵法的实施

现在解释“闻教得度”的本身：

倘有能力备办广大供养，则当尽力供养三宝；设或不能，亦当集其所有之物，一心观想，尽可能使其化为无上妙供。

然后应诵“请诸佛菩萨加被偈”七或三遍。

然后读诵“护免中阴恐怖善愿偈”、“祈求护免中阴险难善愿偈”以及“六种中阴境界根本警策偈”，诵时字句要清晰，语气要适当。

而后将此“得度大法”读诵三或七遍，次数酌情而定。先令亡灵入观死时所现种种征候，设令亡灵运用此种伟大警策，于中阴境相现前之际入观实相，最后晓示中阴境中欲求投生之闭胎法门，以得较佳之转生。

第一部分：临终时的中阴境相

（一）死亡的征候或临终中阴的第一阶段：死时现前的初期明光

首先，死时中阴境相现前时入观明光：

曾闻正法而未领会，或有领会而力不足，但不论何人，凡曾修习《指导丛书》之人，一经施用此法，即可顿入根本明光，由此“径直大道”直证“无生法身”而不经过任何中阴阶段。

其法如下：

最好是将曾经指导死者之上师请来；设使没有上师可请，则请一同门师兄；设使同门师兄亦不可得，则请一饱学同道；设使饱学同道亦不可得，则由一读诵正确、清晰之人，由其反复读诵多遍。亡灵经此法警策之后，当可忆起曾经习闻此种观想的法门，则顿时证入根本明光而得解脱。

至于时间之运用，略如下述：

亡者呼出最后一口气后生命力或灵力即行下降而入智慧脉轮之中，能知的神识即可体会法尔本然的根本明光。而当此生命力或灵力向后窜去而跃过左右两脉之时，中阴境相则顿时现前。

上述指示，应于生命力或灵力通过脐轮之后，冲入左脉之前行之。

此种生命力或灵力所需之时间，通常为垂死之人最后吸入之气尚未完全吐出之时，或为常人吃一顿饭之久。

应用之法如下：

呼吸将停未停之际，设使迁识之法已作有效运用，则此正其时；设使未得有效运用，则对死者说：

尊贵的某某(称呼其名)，现在，你求道的时候到了。你的气息就要停止了。你的上师已经助你入观明光了；你就要在中阴境界中体验它在实相之中的境相了：其中一切万物如无云的晴空，而无遮无瑕的智性，则如一种没有周边或中心的透明真空。当此之时，你应赶快了知你自己，并安住此一境界之中。我此时也在助你证入其中。

应用之法如下续一

(接上篇)对着弥留者读罢这节文字之后，复在其耳际反复读诵多遍，直至亡者呼气或出息已停，以使诵文的音义印入亡灵心中。

如见亡者呼气即将停止，则使其右侧向下宴息，成“狮子卧式”。其颈之左右两条动脉如有震动现象，应予压止之。

垂死者如有思睡倾向或睡眠境界现前，应予阻止，加压之指可以放松但不放开。如此可使灵力不致从中脉折回，以便使其必从“梵穴”逸出。现在该是运用真正的入观之法了。

所有一切的有情众生，都可在这个时候一瞥实相明光的中阴境相，而此实相明光就是“法身无漏之心”。

呼气停止与吸气停住之间，是为灵力停留中脉的时间。

一般人称此现象为神志昏迷的状态，持续的时间长短不一，端视死者的气脉与灵力情况如何或好坏而定。以“曾习禅定且略有坚固定境，以及气脉健全的人”而言，此种状态持续时间大都颇长。

在助死者入观之际，上述对死者反复示导之词，应予继续不断地坚持下去，直到死者身上各种孔窍开始渗出一种淡黄色的液体，方可罢手。

以“生前的生活有欠纯正，以及气脉有欠健全的人”而言，上述状态持续的时间，只有“一弹指顷”而已。但持续“一食顷”的例子，亦非没有。

续二

据种种“密教本续”说，此种昏迷状态持续约有三天半的时间。其他的经论都说持续四天的工夫，并说在此期间应助死者证入此种明光，坚持不懈。

应用法如下：

续三

设使死者能以自力诊察死亡征候，则此法应于昏迷之前运用。设使死者不能自行诊断死亡征候，则由死者的上师或某一门人，或一位与死者私交甚密的同门兄弟，将出现的征象依次以鲜明的语句反复印入死者的心灵之中，首先是：“现在，地大沉入水火的征象出现了……”

待全部的死亡征象快要完全完毕之时，接着以温和的语调对着死者的耳朵说：“尊贵的某某(如系僧侣，则呼‘敬爱的法师’)，不要让你的心受到牵引。……”

死者如果是一位同门兄弟或其他同辈之人，则直呼其名而告之曰：

尊贵的某某，世间的所谓死亡，现在就要来到你身上了，你要这样决定：“哦，这是命终报尽之时。我决趁此机会，为利乐无量世界有情众生而证圆满佛道，以我的愿力行使我的慈爱之心，以使所有一切众生同证菩提，达到究竟圆满之境。”

你既作如是想了，特别是在明光法身可于死后为利一切有情众生而证之时，了知你已契入那个境界，定可获得大手印境界之最大利益，并作如下之决定：“纵使我不能亲证，我也会明了此种中阴境界，在中阴界掌握契合大身，以种种形体出现于世，饶益一切有情众生；我要服务尽虚空界一切有情众生。”

既发此愿，决不合离，并全心勉力忆持平生所习种种功课。

度亡经应用之法续四

(接上篇)如此读诵时，读者应将其唇附于死者耳际，清晰明白地反复叮咛，以使这些话印入亡灵心中，以令其心须臾不离。

待呼气完全停止之后，即以手紧压亡者睡眠之脉；亡者如果是一位喇嘛或地位、学养较读诵者为高之人，则更作如下祷告：“敬爱的师长，您此刻正在体验根本明光，应该安住您此刻正在体验的此种境界之中。”

又如死者若为其他任何一人，则读诵者应作如下嘱告，助其亲证：

尊贵的某某(称呼其名)，谛听，谛听！你正在体验清净实相明光的光辉。你应加以体认。尊贵的某某，你现前的智性，其性本空，无色无相，本来空寂，即是真空实相，普贤法界体性。

你自己的这个智性，就是净识的本身，就是普贤王佛。而所谓本空，并非空无之空，而是无有障碍，光明焕发，随缘赴感，喜乐充满的智性本身。你自己的这个其性本空，无色无相的净识与光明焕发、喜乐充满的智性，二者不可分离，两相契合，即是圆觉法身境界。

你自己的这个光明晃耀、其性本空、与光明大身不可分离的净识，既没有生，也没有死，即是无量光——阿弥陀佛。

续五

你能有此认识，即已足够。将你的智性视为成佛的空性，并将它视为你自己的净识，即可使你自己安住在大觉的圣心境界之中。

如上反复祷告三遍乃至七遍，务须清楚又明白，如此，一则可使亡者忆起从前上师所教亲证法门；二则可使亡者将此无遮净识认作根本明光；三则可使如此认清自己本来面目的亡者与法身永久契合而解脱得以确保。

王：抄录至此，不禁含泪，我佛慈悲。

人点烛，鬼吹灯

薄养厚葬者——盗墓——自找！

(二)临终中阴的第二阶段：死后现前的续发明光

如上所述，初期明光一经闻证，解脱即可获得。但是，设使初期明光未能证得，则续发明光即行显现——约在呼气停止后一餐饭的时间之内出现。

灵力依照死者善业或恶业因缘，流下右脉或左脉，而后经由任何一个穴窍逸出。接着便有一片澄明的心境出现。

所云初期明光持续一食顷的时间，须视死者气脉好坏以及生前曾否修习观想法门而言，并不一定。

识神逸出体后，它即暗自寻思云："我是死了还是没有?"但它无法确定。它可以看到它的亲戚朋友，所见恍如生前。它甚至还可以听到他们的哀号。可怕的业力幻影尚未出现，而由阎罗鬼王导致的可怖魅影或场面亦未现前。

(二)节续一

在这个间隙当中，主持其事的喇嘛或读诵者可运用如下指示：

以此而言，死者可有两类，一者已达圆满阶段，一者尚在现修阶段。如系前者，则三呼其名，反复重述上引关于入观明光的教示；如系后者，则向他读诵其中护佑本尊的引介正文，而后告云：

尊贵的某某，观想你自己的守护本尊(诵者可在此处述及其本尊的圣号)，一心不乱，至诚观想你的护佑本尊。观想他有如水中之月影，虽有其形而无实体。观想他有如一位具有色身之圣尊。

如上读诵，使其印入亡灵心中。

节续二

倘若死者为一未修任何法门的常人，便对他说："观想大悲圣主吧。”

如此观修，纵使原本不能认证中阴境相的人亦可认识了。

曾在上师指导下观修实相但工夫未纯熟的人，单凭自力无法明辨中阴境相。此时即需由一上师或同道师友，以生动的语句使其如实地印入亡灵心中。

虽曾熟悉种种教法，但因致死病症过于猛烈，以至使其心灵无法忍受种种幻象的人，对于此种开示，亦有绝对的需要。

凡理解力低

对读经不耐烦又有兴趣者，在北京的可去雍和宫买《度亡经》的 DVD。捎带脚可买几盘诵经音乐可以安神安眠。王菲和许巍都曾有唱经 CD，不知那里是否可有，极其美妙动听。

节续三

还有，虽曾熟习种种教法，但因违背誓愿或未能勤勤恳恳践行主要功课的人，对于此种教示，亦不可少。

如能于第一阶段中阴境相及时乘机认取，自是再好不过，但如未能的话，则可在第二阶段中阴境相中以此呼唤之法引发亡者智性，使他得以证入解脱之境。

因为，在此第二阶段中阴境相之中，亡者的身体性质上乃是所谓的光明幻身。

此时，死者虽然不知自身是否已死，但却有一种澄明的境相现于其前。此时如能教示得当，则可使母子实相互融而使业力失其统摄之力。此时，照道明光之驱除业力，如同日光驱除黑暗。

这个所谓第二期中阴境相，系现于意生身上。此时，能知的识心在徘徊观望着，不出它从前活动的范围，如能适当运用这种特别教示，即可达到目的；因为此时业幻尚未出现，死者自然不致受到播弄乃至背离他的求悟目标。

心经

破折号后为王注译。注译目的本为明了，至一半自觉目的已达到，故未终篇。

观自在菩萨——内观活泼自在量子流大觉悟者；

行深般若波罗蜜多时——在深达彼岸的智慧洞中；

照见五蕴皆空——照见世间无一人真实；

度一切苦厄——一切人生痛苦终将归零——本不存在。

舍利子——能量结晶——高温碳化为玉；

色不异空——物质来自能量；

空不异色——能量生成基本粒子；

色即是空——能量守恒；

空即是色——能量等于质量乘速度的平方。

受想行识，亦复如是——一切思想感受实践认知，都在自然规律内。

舍利子，是诸法空相——能量结晶，是所有佛法讲的那个空的体现；不生不灭，不垢不净，不增不减，是故空中无色——能量无色；无受想行识，无眼耳鼻舌身意，无色声香味触法，无眼界，乃至无意识界——总之，无人这一套知见方法；无无明——无黑暗观；亦无无明尽——无黑暗光明二元律动；乃至无老死，亦无老死尽——无死何来生？无苦集灭道（四圣谛——佛家用语请老释同学解释），无智亦无得，以无所得故，菩提萨陲——大觉悟者；依般若波罗蜜多故，心无挂碍，无挂碍故，无有恐怖，远离颠倒梦想，究竟涅槃。三世诸佛，依般若波罗蜜多故，得阿耨多罗三藐三菩提——无上平等觉悟；故知般若波罗蜜多，是大神咒，是大明咒，是无上咒，是无等等咒。能除一切苦，真实不虚，故说般若波罗蜜多咒，即说咒曰：揭谛揭谛，波罗揭谛，波罗僧揭谛，菩提萨婆诃——揭示真理揭示真理，站在彼岸立场揭示真理，有大觉悟者。

第二部分：体验实相时的中阴境界

（一）在实相中阴的第三阶段业幻现前时体验实相

不过，纵使不能认证初期中阴明光，只要证得续发中阴明光，仍可获得解脱。而即使不能以此获得解脱，还有名为“实相中阴”的三期中阴境界出现。

至此三期中阴境界，业影即行闪现。此时最要紧的是读诵此种实相中阴的观想大法：它有大力，可得大益。

在此期间，死者可见所供食物被撤，可见所穿衣服被剥，可见所睡之处被扫；此外，他还可以听到亲友的悲泣哀号，然而，尽管他可以看到他们并听到他们在呼叫他，但他们却听不到他在呼叫他们，因此他感到怏怏不乐，颓然离开。

第二部分续一

（接上篇）当此之时，种种声音，种种光线，种种烟焰——所有三者——悉皆经历。这使他感到可畏、可怕、可怖，且使他感到非常疲倦。值此时际，应即运用实相中阴观法。读者呼唤亡者之名，向他作正确而又明白的解释，如下：

尊贵的某某，注意谛听，不要分心；中阴共有六种境相，亦即：处胎之时的木然中阴；体验梦境时的梦境中阴；入定之时的等持中阴；死亡之时的命尽中阴，体验实相时的实相中阴；以及生死轮转中的投生中阴。

尊贵的某某，你将体验这三种中阴：临终中阴，实相中阴，以及投生中阴。在这三种中阴当中，直到昨日为止，你已体验了其中的临终中阴境相。尽管实相明光曾在你面前显现，但你未能即时掌握，以至仍然滞留于此。自此以后，你要经历另外两种中阴境相：实相中阴和投牛中阴境界。你要一心不乱．注意谛听——我要使你面对的事情，并且要谨记在心。

续二

尊贵的某某，所谓死亡这件事情已经来临。你已在脱离这个尘世之中，但你并不是唯一的一个；有生必有死，人人莫不如此。不要执着这个生命；纵令你执持不舍，你也无法长留人间；除了仍得在此轮回之中流转不息之外，毫无所得。不要依恋了！不要怯懦啊！还是忆念三宝吧！

续三

尊贵的某某，在实相中阴境相之中，不论有何可怖可畏的景象出现在你的面前，你都不要忘了下面要说的几句偈语，并谨记其中的要义，因为，认持的要诀就在其中：

而今实相中阴现在我前，

种种怖畏之念我皆不管。

愿我了知此皆神识反映，

愿我了知此皆中阴幻影。

际此了一大事机缘来临；

愿我无畏喜怒诸尊——我识所现。

尊贵的某某，你应复习此等偈语，铭记其中的要领，并且勇往直前，不论有何可怖可畏的景象出现，都不要错认；因此你应记住其中的微妙秘密，不可忘失。

续四

尊贵的某某，当你的肉体与心识分离之时，你将一瞥那明光晃耀、不可思议、令你畏敬的清净法身，犹如在一条不断震动的河流上面横过陆地上空的幻景一般。那是你自己真性的光焰，认证它吧！

那道光焰之中，将会发出实相的法尔之声，犹如千雷齐鸣一般。那是你自己的真我的本有之声。你可不必畏惧，不必骇怕，不必吃惊。

你这时的身体乃是幻化的一种意识之身。你既已没有物质的血肉之身，那么，无论什么——无论声音抑或光焰，乃至火焰——所有三者，都对你无从伤害；你已经不会再死了。现在，你只要知道：所有这些幻相都是你自己的意识所生，也就够了。就将这个认作你的中阴之身吧。

续五

尊贵的某某，如果你现在还不认清你自己的意识所现，如果你还不与此教法相应，不论你在世做过多么虔诚的禅观，悉皆枉然——那些光线会使你恐慌，那些声音会使你畏惧，那些火焰会使你震惊。如果你现在还不认清这个万分重要的关键——如果你不能看透这些声音、这些光线、这些火焰，那你只有在生死轮回中流转下去了！

(二)初七:第一天至第七天。喜乐部圣尊现前

假定死者为一未得佛法成就之常人，受了业力的拘牵，尽管频频示导作观，仍然未得解脱，则需历经七七四十九天的中阴境相。下面所述，是详细向他说明他在第一七中所必须面对和克服的试炼和险难情形。依照经文判断，其中第一天，系从死者通常审知自己已死且欲复生人间之时，或从死后三天半到四天之时算起。

(1)初七、第一天

尊贵的某某，在这三天半时间当中，你一直处于昏迷状态之中。待你的神志一旦清醒之后，你会如此惊问：发生了什么事情?!

如此一来，你就会认清你的中阴境相。那时候，整个轮回的轮子即行转动；那时候，你将见到的种种现象，将是种种光焰与诸部圣尊。那时候，整个天空将呈现一片深蓝之色。

坛经

经文：

大师告众曰：善知识，菩提自性，本来清净，但用此心，直了成佛。善知识！且听惠能行由得法事意。

注释：

善知识:恭维达到称谓。

菩提:梵文音译,意为觉悟,同佛。

自性:人先天具有的物质属性,也是物质世界的本性。

清净:没有受人知见影响的境界。

直了:直截了当,不需要修行。

坛经 2

行由品第一

经文：

时，大师至宝林，韶州韦刺史与官僚入山，请师出，于城中大梵寺讲堂为众开缘说法。师升座次。刺史官僚三十余人，儒宗学士三十余人，僧尼道俗一千余人，同时作礼，愿闻法要。

注释：

时：即佛经上的“一时”。

宝林：寺名，今韶关南华山华果寺。韶州今名韶关。

韦刺史：名韦琚。

大梵寺：今韶关城内报恩光孝寺，是惠能开山说法最初处。

坛经 3

经文：

惠能严父，本贯范阳，左降流于岭南，作新州百姓。此身不幸，父又早亡，老母孤遗，移来南海。艰辛贫乏，于市卖柴。时有一客买柴，使令送至客店。客收去，惠能得钱。却出门外，见一客诵经。惠能一闻经语，心即开悟，遂问：客诵何经？客曰：《金刚经》。复问：从何所来，持此经典？客云：我从蕲州黄梅县东禅寺来。其寺是五祖忍大师在彼主化，门人一千有余；我到彼中礼拜，听受此经。大师常劝僧众：但持金刚经，即自见性，直了成佛。惠能闻说，宿昔有缘，乃蒙一客取银十两与惠能，令充老母衣粮，教便往黄梅，参礼五祖。

注释：

范阳：今北京丰台大兴一带。

岭南：五岭以南，今广东一带。

新州:今广东西南新兴一带。

南海:今广东南海佛山一带。

五祖忍大师:禅宗五祖弘忍(602—675),江西浔阳(今九江)人,本姓周,七岁出家,师从蕲州东山寺道信(即禅宗四祖)。

主化:主持教化。

见性:见证本性,成佛同义词。

宿昔有缘:前世结下的缘分。

坛经说明

以上三段坛经原文即我写千岁寒前33节之依据。后面拖的是给张元写的电影剧本的尾巴，成色不一，觉悟相差甚远。有兴趣可自寻原文去看，我就不在这儿费劲了。希望能对各位有所助益。

坛经白话本

山西古籍出版社，钟明译注(有增减):

当时，六祖来到南华山宝林寺。韶州府刺史韦琚与其部属一起进山，请六祖惠能大师出来，到城里大梵寺讲堂，开导众人，解说佛教教义。惠能大师就座。韦刺史及部属三十多人，加上僧尼道士俗人一千多人，同时向六祖行礼，希望能听到佛法要义。

大师对大家说：善知识，菩提自性，本来就是清净的，只要用此洁净的本心，就可直接了悟成佛，善知识，且听我讲获得佛法的缘由和经历。

我父亲祖籍范阳，贬官流放到岭南，成了新州的一个普通百姓。我的身世很不幸，父亲早早离开人世，年迈的母亲带着我这个遗孤，迁移到南海。生活艰辛贫困，我只好打柴到市场去卖。

一天，有个客户买柴，叫我把柴送到他客店里，客户收了柴，我拿了柴钱，刚走到门外，见有个客人在诵读佛教经典。我一听他所诵经文，立刻有所解悟，就问：客人诵读的是何经？客人笑道：金刚经。我问：您从何处得此经典？他说：我从蕲州黄梅东山禅寺得来的。

东山寺是禅宗五祖弘忍大师主持教化，门人有一千多人。我到东山拜佛时，听大师讲的这部经。大师常劝僧人俗人，只要按金刚经修行，就能现出自己的佛性，直接成佛。我听此说，由于前世有缘，承蒙一位客人拿出十两银子（巨款啊合今天十万块钱大概其）给我，让我用作老母的衣食，叫我到黄梅，礼拜五祖。

能断金刚波罗蜜经

白话：连金刚那样坚固都能打破的通向彼岸的智慧（中学物理版）

原文：第一品法会因由说

白话：这次聚会讲法的原因事由

（经文）

如是我闻。一时，佛在舍卫国祇树给孤独园，与大比丘众千二百五十人俱。尔时，世尊食时着衣持钵，入舍卫大城，乞食于其城中，次第乞已，还至本处，饭食讫，收衣钵，洗足已，敷座而坐。

金刚经中学物理版 1

原文为山西古籍出版社出版，注释钟明，其中还参照台湾随身佛典版。

金刚经物理版 2

注释（原注钟明，鄙人有增减）

1. 这个注释是梁武帝昭明太子的分法，将整部经分为三十二品，品目分类也用他的。标点符号是作者加的。

2. 如是我闻——意为“我是听佛这么说的”，强调自己所诵是释迦牟尼同志亲口所传之经。相传此经文是释迦牟尼同志涅槃后由其表弟亦即弟子阿难诵读的。阿难同志虽为老大表弟一直追随左右始终不开悟，甚至要饭时险些遭人勾搭陷于女色遭到老大严厉批评遂有《楞严经》还是《楞伽经》一时忘了，有明者教我。——直到老大涅槃回归能量圈才恍然大悟，证得罗汉境界，不知是不是朗读此经过程中，于史无据不敢妄论。

3. 舍卫国——古印度一较富裕小国，位于中印度。释迦牟尼成就觉悟后大部分时间在此居住。相传舍卫国国王是他弟子。

4. 祇树给孤独园——释迦牟尼在舍卫国说法的场地。相传当时一个叫“给孤独”的长者请大觉悟者说法而买下祇树太子的花园建讲堂，感化太子将园中所有树木献给大觉悟者，因而得名。

5. 比丘众——已受具足戒的男性僧人为比丘，也叫乞士——要饭的骑士。比丘众是佛教出家五众之一，此五众是比丘众，比丘民众，沙弥众，沙弥民众，士叉摩众。都是音译，不知什么意思。

6. 千二百五十人俱——释迦牟尼起初有六大弟子，即舍利子、迦叶三兄弟、目连尊者、耶舍长者子；此六大弟子又有一千二百五十个弟子。因此说佛与大比丘众一千二百五十人。

7. 世尊——世上最尊贵的教主。我宁愿叫他世上最令人尊重的人。

8. 敷座而坐——整理好座位来打坐。敷座同趺坐。

金刚经物理版3

我是这么听说的。那天，老释在尼泊尔附近一处林子里，与一千二百五十个朋友聊天。到了饭点儿，这位最会聊天的先生披上衣裳端起碗进当烫（编者注：downtown），随便走走赶上哪口是哪口。转了一圈儿，回到林子收了衣裳洗了脚又落听了。

金刚经4

跟着，老朋友比较现从人堆里光着膀子提起一条膝盖拍着巴掌叫老释：哎哎，明白人儿，明白人儿，跟你说话呢，您老跟我们聊你们要小心，你们要警惕，别太拿自己当事儿，以为自己怎么着了，我跟您这么说，我们哥儿好几千个可都是冲着您来假装有觉悟，您全给我们领林子里来了，我们该往哪儿住啊天这么黑，心里这么闹腾？听说晚饭也不许吃了我们可怎么觉悟啊？您能让我们踏实踏实么求您了，给您磕一个！老释答：有话好好说么，我一直让着你们，不叫你们跟着你们非跟着这会儿又怨我，我敢说你敢听么？敢听？真敢听？真敢听过来，我跟你一人耳朵边上说。

不说不答应！要不干吗来呢我反复不停多余地问自己。

金刚经5

明白人告比较现：各位明白人，大家们，应如是破除自己的迷信。所有一切众生之类，若爬行动物，若哺乳动物，若细菌病毒，若古菌，若分子水平以上的，若量子，若有思想，若无思想，若自然进化，若人为构成，我皆令湮灭物质形式速度归零回归能量圈。如是灭度无量无数无边宇宙生物，可物质世界依然存在生命依然生生不息还一派兴旺景象，什么原因？因为我不能替你们觉悟，若觉悟者以为我是终结者，人定胜天，物质不灭，宇宙永存，那就不配谈觉悟。

金刚经 6

再者，善于现，觉悟者传播觉悟应出离物质观。所谓不借助色相媚俗。不借诵经，烧香，灌顶，开大法会搞宣传。善于现，觉悟者应如是为人表率，不借助一切物质现象讲能量。为什么这么说？若觉悟者不执着物质现象观察能量，其大脑细胞视网膜活跃浮现做功所得不可思量。善于现，这话什么意思？你抬头望东，四千亿恒星乘四千亿银河系之物质世界可与量子世界统一否？不也，就你明白。南西北方无量维上下百分之五物质世界外另百分之九十五暗物质世界号称全宇宙可与量子世界统一否？不也，就你明白。必须觉悟，觉悟者不借助区区物质世界之区区现象观察能量，其认识提升浮报与做功所得不可思量。必须觉悟，觉悟者应按照我说的角度和立场观察世界。

金刚经 7

必须觉悟，这话怎么聊？可以到庙里看见觉悟本人么？不也，明白人。不可以原子塔见能量本人。神马原因？貌似来过所说原子塔——人，也在进化中，此一嘴脸无有穷尽。明白人告必须觉悟：凡所有物质造像，皆是光景阁。若见量子流，即见能量本人。

金刚经 8

善于现对明白人说：老释，如果众生听到你这么聊觉悟，他们还能信佛么？明白人告善于现：不要这么说，人总是要死的，求知的精神不死，哥哥去后，哪怕比五百公转还要久远，有决死寻求觉悟的人，读到我这番话必生信心，知道这才是实话。当知此人不是一世二世三世四世五世起疑求知打下的根器，而是生生世世什么好也得过，什么坏也经过，仍不改初衷，勇往直前筑起的精神，乃至今天一念顿生纯净信念。必须觉悟，如来什么都知道什么全见过——不是无知无畏哟！这种人将得到无量上升浮报和有效功德。什么原因？这种人不再有我之价值观，人生观，世界观，宇宙观，无物质观，亦无精神枷锁。什么缘故？是诸众生若以唯心论看世界，就过分执着主观感受，生命现象，精神现象，前人传说；若以佛法为唯一现象，就丧失了客观角度，丧失了科学求实的精神，亦无打破迷信的勇气。为什么这么说？迷信者强调精神现象不可说，即执着于神秘体验，苦练神通，求仙熬丹，以期超越自然规律；见庙拜庙，即执着于自我暗示。上师催眠，自然奇观，不老骗术。为什么这么蠢？若不顾主观体验一味只强调客观现象，亦堕入无知无畏，拜科学教，自然不可知论，宇宙不可知论。所以不应只讲主观，不应只讲客观。根据这个道理，我常说你们这些诚意求知者，应该晓得我说什么觉悟的办法都是比喻，好比借筏子过河，觉悟之筏尚且用过就扔，何况各种方便之门？

金刚经 9

必须觉悟，这话什么意思？如来修来无上平等觉悟——我成神了么？如来说过一种法叫佛法么——还无边什么的？

如果我没理解错您的意思，根本没有一个万古不变的固定法门叫无上觉悟法，您从来也没哭着喊着拍唬着要给我们传。

什么意思呢我？

您怕我们投机取巧，您所说的方法，皆不可绝对化极端化，不可炒成一句顶一万句，无绝对正确，无偶像崇拜。

为什么一定这么坚持？

“一切圣贤皆以变动不拘与时俱进而显得千差万别——才不犯傻！”

金刚经 10

必须觉悟，这是神马意思？若一哥们儿号称拿四千亿恒星乘四千亿银河系满物质世界所有碳氢氧铬原子弹都捐了给你盖核电站打钻戒穿棉裤开宝马全世界一人一辆，这哥们儿福利回报和德国银行多么？

必须觉悟说：那您要这么说，太多了，得儿哥。文词儿：肾多。

神马缘故？

这福德，是一回事么得儿哥？您别拿我开心了。

所以我才到处对大款说：您太有福和德行了。其实不必那么累，但凡一苦孩子举着这本经操练自个儿，哪么顺嘴背四句呢，爱跟别人聊，其认识上浮——阿基米得定律晓得哦——胜前边那款爷。

这话儿怎么说的呢？

比较现同志，一切觉悟和 N 多种觉悟方法都在这本经里。比较现同志，敢叫佛法的，都不是佛法！

告于奇

不好意思刚看电邮。自湖广总督之后不能拷贝应该是出于保护知识产权的目的——我猜。

又及：物理版金刚经我不打算再续了目前。译经无非是译个态度，白话本也太多了，就不必重复劳动了要了解意思看北京话版也足矣了。以后都译节选挑好玩的段落。

无神论只是否定人格神的存在

——并不意味着闭目塞听讳谈死亡——更应以无畏、科学求证的精神直面死亡——譬如佛陀——有人不知道佛陀是无神论者么？

佛陀怎样看待创世主——上帝

巴利语中，相当于其他宗教创世上帝一词的是 Issara（梵文 Isvara），毗湿努或梵天（不明者或可请教季羡老）。佛陀在好多场合中，否定了永恒灵魂的存在，只在为数不多的情况下否定了创世上帝。但是，佛陀从来没有承认创世上帝的存在，无论它是一种力量或一有情。

…………

在《增支部》中，佛陀说出了流行于当时的三种不同思想，其中一个就是：一个人无论经历快乐、痛苦或不苦不乐，此等全是上天的造作。

…………

在《尼乾经》中、佛陀驳斥了这种宿命论的观点。他说：故而，由于上天的造作，人们成为凶杀者、偷盗者、不贞洁者、谎言者、谤言者、恶语者、贪欲者、歹毒者、邪见者。因此，对于那些由上帝创造出来的人，他们既没有希望也没有能力和必要做此事或不做彼事。——转续一。

续一

在此经典中，佛陀讲到了从事自我苦修的天衣派行者，评说道：诸比丘，若有情众生经历的苦乐为上帝创造，那么，此等天衣派行者一定是由邪恶的上帝创造的。因为人们得承受如此悲惨的痛苦。（王：看来佛陀也不是总有话好好说。）

…………

追溯所谓创世者大梵天之初，佛陀在《阿逸夷经》中说：诸弟子，此有情第一个出身（在一新世界中诞生），如是想：我是梵天、大梵天、毁灭者、一切见者、施一切者、世界之主、造作者、创世者、天主（王：太像旧约圣经上帝了）、施与者、我之主，现在将来一切有情之父。此间有情皆我所创生。为何如此？

因为我之前曾如是想：其他有情或许也会来到此等生命世界。这就是我的意念之声，此等有情果真出现。

这些自他而后生的有情众生也如是思：此供应者一定是梵天、大梵天、征服者、一切见者、施一切者、世界之主、造作者、创世者、天主、施与者、我之主（王：于此想法不同了）、现在将来一切有情之父。接续二。

续二

诸弟子，于此，第一个出现于此世间之有情生存时间长，相貌较庄严，力量较大，但他以后而生的有情则生存时间较少，相貌一般，力量较小。（王：但是人口较多，多到畸形——这点倒和海德格尔的历史观契合了）

……

在《大菩提本生经》中（528），菩萨反驳了一切皆是万能者所造的理论，他指出：若有万能之主的存在，支配一切众生的苦乐和善恶，此天主沾满了罪恶。人类只能按其意志行事。

以上皆引自斯里兰卡上座部佛学大师那烂陀长老所著《觉悟之路》。译者：学愚。山东人民出版社出版，1996 年 7 月第一版。

王：我挂在座位上的那张释迦牟尼同志很像耶稣基督和切·格瓦拉的画像就是从这本上撕下来的。窃以为，释迦牟尼同志去后，被某些人贴了金，大搞色身崇拜，真是某些人的可悲。

死

小说:死后的日子

1

死后的日子也是一天天过的。我坐在雪封住的车里想。

我忘了今儿是星期一，在 8 多腻了一会儿，出来发觉外面在下雪，三里屯满街都是冒雪上学的小孩和睁着眼睛的汽车白棺材一般缓缓移动似乎整条马路正在大出殡。

车在不远处马路牙子上停了一夜落满雪，我爬进去像钻进一个粉丝窗户幽闭在里面什么也看不见。

昨天夜里我出门时天在下棍儿雨，掉在前风挡玻璃上大滴大滴趴下来雨刷子扫过去硌起来已经是冰了。

热风吹在车脸上，冰上积压的雪渐渐遭到蚕食，大版大版晶莹剔和百孔穿，被我连渣带汤推了下去朦胧的世界一下一下清晰了。

正对着的胡同堵着很多车远处胡同口外新东路大街上还有车亮灯拐进来。天上没有一丁点光线雪是兔白的因为下雪到处毛茸茸好像房子和树都肿了。像往常一样我一全神贯注就影像残留，东一眼看到的景物西一眼仍在膜上，看来看去影子纷至沓七手八重叠，树就活了房子也活了像被充了气摇摇晃晃老王管这叫扛着眼睛给自己拍电影。

死后最表面的变化是视觉默契丧失，还能如生前清晰看到一切，不理解这一套套摆在这儿什么意思以及跟自己的关系，譬如路边的树，知道它是劈柴他爸整容前的桌子腿和木炭的前世，再想一下，才明白它在这儿是掩护路把可以通和不可越做一个划分。远远看到红绿灯，当即一脚踩住，停一会儿才想起要到灯跟前去中间这段路还让走。这样开车是很不靠谱的，认识有空白视觉就有空白所谓视而不见。一个人在前面过马路，看半天一往无，到跟前才想起不能压一瞬间视觉跟着惊醒，情况完全是一个人孤丁出现在车前。所以大家说白天最好别上街，上街能打的打的。不是过去一般人认为的怕见光阳气太盛犯冲什么的，也是有点怕见光，因为散瞳散得厉害戴墨镜就可以了，关键是分不清远近自己会乱。我新死的时候，在一家网站演内容总监，当时正是网最热离纳斯达克崩盘还差两个月投资人闻着味儿拼催网开，这时候闪不合适也有一孤丁点放不下想最后见眼钱给女儿，就刻苦坚持上班。每天一上街，满街人脸像千万只图章往我眼球上盖特别接不住的是颜色，抬眼望去，几条街上谁穿了一圈红一道蓝全跳出来了像一件景泰蓝当街摔碎了。那是夏天，阳光嘎倍儿新，走着走着就像走进动画世界，眼皮像糖纸一片彩色，眼珠子倍儿晕像掷出去的骰子在天上的云里滴溜溜乱撞。

最美的一次是“非典”期间去颐和园，那时候园子里没人哥儿几个姐儿几个总朽在黑暗中这回可以敞开散散。哥儿几个姐儿几个从北宫门进园子顺后山登的佛香阁。爬着爬着我就觉得金光万斛，满山亭台楼阁风吹雨打掉进缝里的残金碎银都被我一眼搜了出来。那是个阴天，雕梁画栋件件斗拱凸架收在眼里还是木块磕得眉骨生疼。猫穿着小褂小裤迎面一跑周围廊子嗖一下虚了，人显影般花了，衣裳里见腰身，这时我就知道自己上劲儿了。爬上山顶扒着栏杆往下一看，菠菜汤似的一盆昆明湖端起来，一条碎花围脖扔在地上，净是岸边三三两两的人织进去。这时有画夹子就做了印象派，老王对我说，原来都是看到的。

再看旁边的青砖墙，拉手风琴来回梳分头。一院子方砖地怀孕一肚子一肚子鼓丘起来，又见四面八方的活王八在下面钻被窝。跟着下山，像从站着的飞机上下云梯。

人人涂脂抹粉儿。我和猫坐在山下长廊看戏似的看人。一个个走过来的都是笑嘻嘻的巨形木偶，尾巴骨挂铁环扭腰摆臀，脸上每块表情都像藏着手在折叠，慢慢就把五官都挤到半边脸上。我捂着眼睛问老王，怎么都是外星人。猫说都不是，都是平头整脸的中国人。

死后的眼看到的景物会修改。黄种人光线锐一点能修改成白人。白种人都是洋娃娃黑种人都是木刻。不太能看的是电影里的白人不穿衣服就像生肉，被片过冰镇过特别新鲜。剧烈散瞳的时候看动画比较舒服这是女墙的发明。我和老王都是死后爱上看动画的比较喜欢宫崎好马那种，到处都有光影移动让我们觉得温暖好像在回忆前世。真人电影还是记录眼睛之外的事，动画可以演脑子里的事想到哪儿画到哪儿无边落和不尽长。在女墙家初次看《骇客帝》动画版我一看就丢了魂儿，我的隐秘经历别后心情竟被一部动画片一帧一帧做了出来，活把生死神话织在挂毯上。

全暴露了。我望着墙上斑斓的投影对老王说。

女墙放片子时只放画面，字幕和原声都消了另外任意放了张电子舞曲。后来很久我才连字幕从头到尾看了遍那部片子，了解了电影里那个故事就不觉得那么好看了。

也不是所有东西都会在死后散了黄儿的瞳孔里推陈出和涣然一。那天从颐和园回城，天刚降过暴雨，夕阳又出来了在串串乌云后面放出巨大光柱，整个天空巨三维。我和猫沿着北四环往东开一边开我一边叹气：穷气——操他大爷这北小京修得太穷气了。

三年前也就是2000年夏天，一个周末的夜晚，我在“香”俱乐部的包房里喝酒，一切都很好，人、气氛和心情，突然觉得房间亮了，音乐好听了，接着自己的一生出现在眼前：是一条幽长的走廊，从第一声啼哭，满身血污地被护士抱起来，到初吻，少年时代一个无聊的下雨的午后，到爸爸、哥哥的笑声，水滴的光脚跑步声，自己正在等的一个重要电话的铃声，羚角的痛哭，小麦冷静的说话声……每天一个房间，并列着，从过去排到今天。我以为早已忘记的那些时刻，都完好保存在原地无一遗漏连当天的光线、温度、环境声在内。

接着我看到天堂、幸福、爱这些我过去从不相信的东西。这些都是景色，一处处绘画般的风景不再是抽象的字眼。原来全是真的。我这样想的时候，又看到感动和伤心——伤心是一座灰色森林，长满一棵棵年深日久挂着厚厚苔絮仰不见顶的大树。感动是海边悬崖下的一个山洞，冰冷的潮水一波波涌进去，夕阳金黄的光线照亮洞壁菊花般的皱褶。

接着是一个隆重的召见。我痴坐的这个包房变成一个广阔的大厅，出现一个高一个的金色穹顶，越来越顶天立地的廊柱，宽大无通往云千千万万白色台阶，有强烈的光芒从上面透射下来，我突然明白要召见我的是谁，是上帝。这信息以一种闪电的方式直接进入我的思想如同我是它的收报机。

这时我感到身体像奔马庞大肥胖得失去控制，念头越来越淡渐渐追不上四把手。人在锐不可当匹匹锦缎的大风中，吹成骷髅刮进排骨腔子变成穿堂风。眼睛是一排窗户，无边的水面在窗下波光粼粼，窗户集体破浪前进雁翅排开尖儿是船尖儿。一边一胳肢窝热乎乎的整张人皮极其酥暖，每个毛孔都在坍塌犹如方糖泡在热茶里。然后是愉快，愉快地一心飞翔，没有影子地在海面掠过，笔直地——射出海平线，蹿进浩渺星空像一只光雕的箭头。人生变成回忆，迅速忘记大半事情飞得有多快忘得有多快。亲人好友连同自己如看镜子，容颜呼上哈气水研开墨一般急剧模糊，眼睁睁最后再也想不起自己的姓名。这时有一点点难过，地球在哪里？回望来路，已是一片灿烂星河。想想这一趟人间之旅还是很有意思的。

这时心下很清楚，我这是死了，此时一片光明，驾驶着视觉在新世界飞翔。

这就是真相大白吧。我还想，怪不得叫至善呢，没有欲望，当然善。没有人的世界真美。至少可以看见一些几何体。可不知要给今天晚上一起玩的朋友们添多大麻烦，好好一个人玩着玩着死了，公安局恐怕要找去问话。我还琢磨，我这得的什么病，什么感觉都没有就过去了是积了德还是缺了大德？

这么想着，我听到了音乐，听出这首舞曲叫《见过不靠谱的》。猛地一睁眼，才发现自己一直睁着眼。还在“香”的包房里，但不是我进来时的那间，房间大了仿佛在一面墙上开了一间又一间，音乐震耳欲聋好像是一间船舱，铅皮太空船舱。

周围的人若无其事地喝酒聊天，聚集在地当间扭来扭去。我完全不认识这些人，或者说我记得这些人曾经是朋友，但此刻，他们都露出另一面，陌生的嘴脸，这才是真的。

又新来一些果儿。我旁边坐着一个不认识的果儿，一边晃膀子一边瞅我。我茫然地问：我怎么了？果儿脸拧出去又掉回来，说：你大了。

我抓住果儿瘦瘦的胳膊说：带我回去你带我回去。

果儿为难地说：我和人一起来的。

我没听懂果儿的话，过了一会儿懂了。我坐在角落看人妖舞，脑子干不见字还被一只手扔来扔去。

房间里的人突然拿自己的包和手机往外走。女墙过来对我说：外边有人打架，一会儿警察要来，大家转移到8去——你能走吗？我望着女墙，过了一会儿，才想起警察是什么。

我以为自己永远不能动了，腿一叉，发觉还连着躯干。我问旁边那个果儿，居然口吐中文心眼为之一振：你会开车吗？果儿说：会。

“香”俱乐部门口有卖鲜花的男孩女孩，我和果儿从门里出来，那些孩子满地乱跑。我在一开一合的门玻璃上看到老王，两只眼睛瞪得像茄灯，果儿把她的墨镜戴在他脸上。

我闭上眼，看到北京的大街两侧长着暗红色的热带雨林，像淹在水下影影绰绰，又像罩在红雾里用望远那头观看。白色的瀑布间隔出现，无声优美地倾泻，推出一座座深远的峡谷。整个景象无比幽深一幕套一幕像是玻璃制造，逢光透明，遇见一道景同时视野就穿了它，像穿过一个个眼眶。

我睁开眼，那些楼只剩下头发纷乱的线条，每一条街的尽头扯得细长，我看到一座素描的城市。

果儿把车开得极慢。我转头看果儿，看见果儿的脸蛋布满褡裢血管和叉子神经，游着绿麻麻的荧光，好像防鲨网在打着灯光的海下。

那条扶着方向盘的水晶肘子也写满绿豆丝字，一行挤一行，掉在果儿紧裹着的苹果瓣牛仔裤连着座位皮子。我一眼认出一行掉在我手背上的字，正是此刻我脑子里的四五字：手枪式地图。

一闭眼就是彩色世界。我遇见这个念头同时一条字幕打在果儿油亮的锛儿头上。

2

三年前，8 还在新东路城市宾馆路口西北角。把口过来有一大摊子农贸市场我在那儿买过西红柿烙饼配过钥匙，后来砌了一长溜青灰墙遮掩假装老北京风貌。我天天从那儿经过也不知道其中卧进去一段刷粉了的墙和粉墙上那扇黑门就是 8，只频频留意南边贴着瓷砖龇着大白牙似的公共便所和北边把角豁开几只大窗户的陕西面馆。白天 8 的门从来不开，入夜附近饭馆开始上人 8 那扇门仍然孤零零紧闭，门上吊着一盏昏黄的灯，旁边多出一个烟摊儿。听过两三回人说，8 那段粉墙早上能看见鬼魂，穿得干干净净的男子或玉面女郎迎面走过来，直接走进墙里面或者墙上迈出一条腿，走出人来。也有人说，对没去过 8 的人来说，那扇黑门根本不存在。8 有个街坊大爷，有时周末早上撞进来，合着音乐跳他自己那套老年健身操极其自我特别松弛，舞姿影响了一批人。

没有音乐的8像一座山洞。没窗户带高挑，点了蜡更显得顶儿黑。地板磨秃了漆平地走一会儿上坡一会儿下坡都能绊一下。楼梯踩上去吱吱叫木扶手从上到下极为光滑摸上去像一条浑圆的胳膊。还有接近散架半身不遂非得屁股大才能稳住的椅子。鸟的眼睛黑人嘴唇茶几沙发桌布上圈点圈点都是烟头烫的。我不是说这地方年头长，也不是说屋里简陋，我想表达这样一个意思，一切都很新，一切都被可劲儿糟蹋过。

我在里面待了二年没看清墙壁的涂色，因为小二楼一些沙发是酒色一楼全部桌布是肉皮色我坐在暗处总有一些粉脸晃动。

放了音乐黑屋子就远了，黑暗就华丽起来，四角通透开了窗户仿佛一座露天花园再远还有金山银山还有陶瓷海还有塑料晴空眼前人物，一盆盆旋宽，琉净，擦亮新画面，一辈子一辈子历历在，像看小人书。

有人一脚高一脚走水晶楼梯。双手握着脑瓜嗡成一枚枣核儿。

这天早上从8墙里出来，一心苍老，眼睛比脸那么大。现实——那些巍峨楼堂砸桩似的一个追一个砸在眼跟前，一抬下巴颏儿就戳满视野。再走进去就像走进电影。从此就像一个搬着小板凳坐得太近的观众。这时候也不在乎自己是谁。走着走着看见情节，很拙劣的情节，一个家，在巷子里。城市像一支舰队密密鸦鸦顶着响天快云大扇大批航行。四下房子东闪西走进巷子上浪桥，左脚螃蟹右脚蜘蛛。已经一门红色大楼浮在村村坡坡上，舱舱窗台坠着空调像生锈的大船锅铁环枪枪铆钉。早就知道上面住着一个女演员演妻子，一个小演员演女儿，自己演爸爸，演到这儿再也演不下去了。

但是现实还在，铁一般地站在我周围，为了更逼真居然下起雨掉口水在我脸上。一点一滴浸进树皮柏油马路，画面青了。

我小时候不住朝阳，住海淀。我在那里演一对中国夫妇的二儿子。男演员女演员都是东北的，男演员演军人，女演员演医生，想想这个编剧真的是很不用功。我开始就知道是在演戏，上厕所吃丸子演砸了也不惊慌，猜到总会有人跟在后面悄悄收拾。不会演就瞎演。只是偶尔到卫生间照照镜子找找自己。大多数情节是懵着演过来的。也不知道谁告诉我一句话：到时候就都会了。每到我到现场发现有问题又没人教都是这句话给我垫的底儿。现在想想还是幼儿园小孩好演。演小学生时就比较麻烦。比较可恶的是写作业，在一个全景里观众根本看不见也不关心我在写什么，但是不，演老师的这个演员一定要我真写出来。还一个比较烦的是演我爸我妈的这俩老演员老爱给我说戏，当然那些演老师的全都一个毛病。他们一定要我演一个乖孩子，我心里就跟他们别上了劲儿，我认为我比他们理解剧本，虽然导演没明说我心里知道他一定希望我演出一点和别人孩子的不一样。

导演不可能是傻逼。

哪儿哪儿都和别人一样，那我可就看不出为什么拍我这部戏了。

我爸打我那几场戏我心里真跟他急了，你还当真打！我要不是小，不知道怎么不演我肯定不演了。演我女儿那个小演员刚到剧组来的时候，我跟她说：你放心，你演得再不好我也不动你一手指头。

表演嘛，都是演员，演完戏就走，干吗弄出深仇大恨来。

我不恨演我爸那老演员。中间有一段我只是对他很冷淡，他让我这么演我偏不这么演，演对手戏时不给他视线，台词给到我就压着他说经常把他的台词都说了。后来他不演了，走了，我再没见过他。还挺想他的，一个组待了四十年怎么能没感情。想想也不怪他，他也是听导演的，也许他的导演就是叫他这样演的。

我伤过他的心，他也伤过我的心，可能是我们双方演得太认真了。

演我哥的那个演员也是半截儿离开剧组的。我特别难过。可是又无从流露。戏演的就是悲欢离合，情分因缘都在戏里，人家卸了妆总不能再追上去拉着人家当还在戏里念台词。人家有人家的事儿。

我们组演员最多的时候也是一大家子，四间屋子住得满满的。哥哥嫂嫂一家，我一家，爸爸妈妈一家，再加上走马灯似的小保姆和不时热热闹闹插进来串一场半场的各房亲戚。

我们家这出戏现在只剩我妈一个主要演员在天天演。我每两集露一下面，演吃饭的戏，吃完就走，她只好跟小保姆搭戏。有一天，我跟我妈说，后半部分再演几集我可能也不演了。我妈当场演哭戏，问我：那我怎么办？

我和演我女儿的小演员背后议论过我妈的哭戏，都认为她演得不太好，都特别怕她演这类戏。我跟小演员说，你别美，将来都要你来接戏，谁跑了你也跑不了就不要嫌老演员戏路子旧了。

我就算职业道德很不讲究的了，该救场还是去，下一代演员我看连我这点精神都没有。再下一代呢？我跟女儿说，你恐怕还是要生个孩子，没人跟你合演时就讹她。

希望她把自己的故事演好，全须全尾儿。我们家这些人的戏不要最后都成了独角戏。

看宫崎好马的《魔宅便》就像看自己心里曾经藏过的一个念头被故事化。我也不会飞没那种必须的使命但也到过那样一个海滨城市成为青年。在一个遥远的地方开始过日子是我隐蔽最深的愿望。在我还小的时候，它就变成一个灰色的梦隔几年一次出现在我的睡里。我在梦里一个人到了外国，小时候主要是去美国，走在荒凉街道上和70年代北京朝外大街差不多。身边似乎有人经过，似乎使劲一点说汉语商店里的人也能听懂。每次我都想这外国也够破的怎么跟中国一样。后来我真的去过一些国家，去过的国家就不再在梦里出现。梦里有了一些高楼大厦也是北京这些板儿楼和玻钢大庙，里面坐着华侨和多年不见下落不明的老友。这几年最远就是去机场，坐在飞机里等着起飞。每次都有问题，不是我明明放在裤兜里出门前还多次检查过的护照不翼而飞就是听说我的签证被取消了，要不就是大家都坐好了飞机也发动了机组人员一声不吭全回宿舍了。有一次我还认识其中一位空姐儿，请她带着去找飞行员，在机场大楼各个走廊里转来转去，这个梦后来变成一个色情的梦。

十八集到二十一集我演海军。走的时候很兴奋，和院里一帮孩子连撮几顿大饭还到照相馆拍了合影，以为是关机饭集体留念我们长大了从此白白——都要去过自己的生活再也不回来了。

这一列火车经过河北进入山东沿途一望无际收割后枯黄的平原。天地有多大有一度我以为看见了海一车皮新兵都挤在窗口大惊小怪后来发现那是铅堂外的晴空。我们这批兵都是去学操舵，他们说我的未来发展方向是操舵兵——舰长——舰队司令。原来我是一个船长，一生将在海上航行，最大的事儿是和各国进行海战或者封台湾演习登陆访问檀香山到太平洋舰队总部做客和南极企鹅合影什么的。我有点心虚，对自己当然要一贯充分估计但要说台湾归了包齐是我解放的，我还不是太信。那我这辈子还干吗呀？解放日本，不至于吧。海底两万里，鲁滨孙漂流记，太崴泥克号，我不乐意。

吃窝头二米饭咸水泡白菜帮子冻成琥珀的萝卜。光着手和耳垂在寒风里跑操喊一嗓子吞一根冰棍儿假装精神矍铄。睡板床稻草垫子半夜扛着被子大枪沿铁路线狂奔前脚跟绊后丫子听各村狗叫体会鬼子心情。四千人七铤莲蓬头三个月没理发脑袋披了块小方毯见天在操场拔正步撅走筋这根大腿再撅那根。看不见女的缺乏营养肛门皲裂眼睛素得瞧见猪就走不动道。这些我都忍了，为了演好海军上将的青年时代。

两个月后海军副班长得了大脑炎，上午下午各一针青霉素躺在卫生队看月亮吃馒头，胖发面又白又暄一口逮下来我辛辛苦苦建立起来的优秀状态就崩溃了。

我这才发现自己又在演另一个人。哪里是自己的本来面目，分明是演出任务更重了。

海军上将那是好演的吗？一个国三五人，要演出宁夏武威绥远靖边静海宣化怀柔战战兢兢业业白发巍巍。我不知道自己是谁，但我赌自己不是他。

作为一个演员，最怕的是以为自己什么都能演，认识到这一点，只会更糟糕，演什么都不自信了，进而发现所有角色耷拉百疵和不成立。不相信角色还去演，一是变本加厉像京剧那样摆明了炫耀技术；一是郁闷，演谁都是一张脸，拧巴导演。最难看，也是最徒劳的是这时候还要拼命找动作，忙起来，要求化妆要求服装，加水词儿，小处越饱满眼角儿越空虚，演好了是一条成语：沐猴而冠。这时候其实很简单，承认局限性，人有所不能。这也不过是一个观念包袱，放下了就放下了。《写在墙上的不要脸》的作者说：还不许人犯臭么？牌桌上有一个定律：不愿意屁和的都是在憋大的。

没打过败仗的将军是不打仗的将军。没输过的球员是板凳队员。所谓牌德，点儿背的时候最看人。何况还有一条险路，揣着明白装糊涂，把正剧演成傻剧，在笑声中全身而退。

青岛是一堂很美的景儿，没能在那里演好一名海军我很抱歉。想想我有过什么理想，真属于的只有一个，就是演一名军人。理想是少年的玩具，过了这个年龄就都是吹牛掰了。我很拉屁，刚到十八集就实现了自己的理想。我在一条几乎不出海长年靠码头的保障船上摇了小一年被请下了船还真特地松了一口气。我自己选的，演舰艇卫生员，完全是瞎演别人不知道我自己还不知道。打针可以，发药可以，最关键的战场急救三角巾包扎四头带固定临时做夹板正确姿势背浮伤员什么的，学完就直接全用在果儿身上了。静脉注射我只在第一次练习时顺顺当当找着我们医训队一同学好朋友的血管，后来回回按我们教员讽刺我的话说就是：绣花先生教针脚儿。我们船一同志打篮球磕裂了眉骨我就缝过唯一那么一次伤口，三针这边穿进来那边引过去结好疤是个醒目的“非”字。这是和平年代，养兵千日，要跟全世界翻脸，我倒没事，我们船同志不挨炮也没事，真叫哪国缺德海军瞄准了放一响过来有人会死得血难看。这小一年我非常关心国际局势，老做一个梦，不会开车上了一个车，后面一帮德军扫着枪追，急得我只会唠叨：这回坏了这回真坏了我非记得自己会呀。偶然车也能动，我假装扶方向盘其实无人驾驶，又惊又喜加上不踏实下回还能这么寸吗。一路颠簸，醒来不知身是梦。

不会开车成了我一心病，二十年后我买了汽车，本来是坚决不学的本来对电子机械就犯怵这么大岁数了雇一司机也不贵。思想斗争好几年，最后决定，还是学吧，开得好坏只要别轧人至少梦里不着急了，有车会开。从我会开车，梦里就没人追了，改把我一人撂悬崖边儿了。

3

回到家里，外面的雨不下了天还是阴的，屋子里两头开着窗户充满雨后的潮湿和土腥味儿，那盆半黄了叶儿的合欢树绿的那半拉上了油一样纷纷影影群在枝头。

羚角和水滴正在她们那层吃早饭，从下面听见上面有说有笑盘子叮当碰碗。我轻手轻脚走上楼梯口露一个头踮着脚尖看她们。

水滴瞥见我脸上就出现她特有的一副表情，羚角一见就向楼梯口转过脸。水滴这副表情我一笑羚角就说那也是我的表情“你们俩别提多像了”。我头一次见水滴这表情是她小时候带她去动物园旁边的“肯德鸡”吃鸡，馆子里人挤人，水滴被拎进门拎上楼一搁下就傻了。我曾经用“皲魄”、“警张”形容过她都不太准确和涵盖。有一次我去一个不靠谱的公司年会，被一台摄像机搂了进去，就一丁点儿，一梭子末尾，夜里在一个娱乐节目里播放被当时还不太熟的罩罩看见喊老大年：你没见过臊眉搭眼，快来见见。

水滴臊眉搭眼地低头吃煎蛋，我走过去坐在她旁边，也臊眉搭眼看着她。看了一会儿我笑了，摸摸她圆圆的脑袋问：没事儿吧？

水滴眼睛也不抬地扭扭身子：你才有事儿呢。

那你怎么这样？我趴在桌子上枕着脸盯着她看。犯多大错误似的。

水滴笑，越过我看一眼她妈，用叉子乱抹流汤儿的蛋黄，说：讨厌。

羚角问我：你吃不吃，稀饭还有。

我说不。

她说你现在成仙了。

有的人活着已经死了。有的人死了，还活着。我念叨着眼睛不离水滴。

水滴张着嘴看我们俩：什么意思？

诗。我说。

你写的？

不是。我说。你觉好吗？

听不懂。

好不好吧你就说。

反正你写不出来。

你爸是才子来的开什么玩笑。——啊？你居然不知道？

羚角：你别影响她了让她好好吃饭。

她怎么会不知道呢？我指着杯子里的牛奶，喝了喝了——你怎么会不知道呢？原来你是一个无知的人呀。

水滴站起来要走，我拿腿挡住她：咱们不当无知的人。

让我走——嗷。

东西还没吃完呢姑娘。

不吃了。

浪费这可是。

妈——

你每天这么一回来就惹孩子，孩子都烦了。

你烦么？

水滴一撩长腿从我腿上跨出去，我伸手一把没抓住，挠了五爪空气。

过去只能从下面钻过去，现在一迈就迈过去了。我对羚角说。

那是，也不看看我们孩子什么个儿了。将来跟她站在一起你就是个矬子——让你还美。

我坐直了脖子喊：别太高了将来没法坐飞机穿衣裳费料子嫁人也成问题。

水滴在她房门口瞪我一眼，进去了。

烦也没大用。这就是你爸，这就是你的命，别人不管我老了你得管我说到哪儿去我都占理儿……

厅里只剩我一个人。羚角上平台弯着腰看花和养鱼。我又坐了会儿，拿手吃了牙水滴盘子里剩的蛋清边儿，下楼回自己屋。

躺在床上，关了窗户和门，盖着满是布味儿和瘦褶儿的薄被，老王问我，什么情况？我说，我在蒸发，要摸脚才在脚上。我说，有点害怕，不知被窝里什么在抖。老王呵斥我，不许哭！昨天晚上发生了什么？

要知道，一个人是没法理解他已经死了这件事的，这么想的同时就意味着自己还活着。如果不是这样，那么躺在这里的是谁？我躺在床上，正是躺在这种荒谬的境地中。我没法去想死这件事，稍微一想全部现实都一齐冲上来反对我。可是我明明记得昨天晚上发生的事，这就像刚刚色香味俱全吃光了一顿饭连盘子都舔了，可这顿饭还色香味俱全地摆在桌上。我不知道该相信什么，是这顿饭不存在还是吃不存在。这当然是跟我的死亡观念有关。原本以为死是闭眼，是一团漆黑，是解体，是消失，没想到是睁眼，是当宇航员，银光灿灿世外有路星星复星星飞了一圈抱着身体又回来了。那我这就不是死。——那我为什么这么难过，看见羚角水滴如看见孤儿寡母。

我不能把她们抛在这个世上。这个世上一点都不好。都是人。我要没了，她们就断了线消失在人海。我不放心。我哭着睡着了。睡着后继续想，再哭也是往事了。继续想，一个晚上，四十年就坍塌了。继续想，还有多少世界不像人说的……

所有的人，也唯一就是水滴，一出生我就认出跟我是一头的。她就是我的下一世。我把时候过成双日子，一世没结束下一世就开始了。我这辈子孤孤单单，所以自己赶来陪自己，所以死不瞑目，怕撇下那一个。我很高兴自己的下一世是个女的。女的可以自然点，和妈亲一点，演自己。这一世我净演别人了，没给自己留多少空儿。

羚角是水滴的妈，贯穿我今生和来世的人物。她上一世究竟亏欠我们什么了，要两世报答。《红楼梦》里讲有人是来还泪的，再将来我岂不要开大河之水还她。多少人因为多少人把好好的一辈子糟蹋成几年几个月、几天、几个小时。幸亏死得早，只欠她一个人，再多两个，我宁愿在地狱里不出来。过去有点不理解女的，觉得她们都疯了，至于吗那么去爱一个很一般的人。现在有点猜到了，自己变成女的才知道，女的都是还债人，千年等一回。冤冤相报何时了。水滴惨了。

现在想，我这一生说得上幸福的故事就是和自己来世喜相逢的头六年。水滴太可爱了。然后我就我就亲手把这幸福缰绳割断了。

那也有明确的起始一天，光天化日大中午在西坝河街上走路，去赶饭局。突然发觉什么都有了钱成功房子家后代还挺美，突然掉进巨大的空虚，一个真实可见白色光滑极其紧致只字片迹没有广大深圆的铝坑，有一个鸟瞰我在底下十分渺小。一时不知这空虚来自何处，周围的街景饱满纷丽依旧热闹，但是行人个个陌生面带狰狞。我继续往前走以为可以走出这弧不可测锃明瓦亮的大白坑，但越走越长毫无坡起即将在这一眼望不到头严严实实的苍白中消失。我心怀恐惧同时明白我这是走在自己的内心中，这个内心寸草不生一派荒凉无穷单调。有一种痛哭是在心里号啕。掉下来的不是热泪是扑簌簌的心脏。哭完身体是空的像在山谷里听回声一样听刚才的疼。

现在想，也许那天我已经死了只是不自知行迹还在人间。那是十年前。昨天夜里碰上老王，他说他认识一个外国孩子天生能开天眼，到北京上空看了一圈说北京这地方能量不好，原因在很多人死了自己不知道，还在上班谈生意开车什么的。死了自己不知道的人都特别可怜，只能老干一件事。这开天眼外国孩子他爸就是个死了不知道的人，只会收拾屋子，已经死十年了，还在那儿收拾。

现在我完全不相信人对死亡的定义。在哪一层楼看哪一层的风景。他们懂什么。一群天真短命的生物。才进化到哪里。他们的世界就在他们的眼中，种种挣扎也不出视力范围。苍蝇眼中世界是晕的一个接一个光的旋涡像戴着花镜猛骑自行车。蚂蚁眼中世界是巨观的形同九大行星串成一根糖葫芦你是拿糖葫芦那小手。蝙蝠的世界是黑暗的毛笔写在黑板上幸亏它是盲人音乐家耳朵里永远在大合唱每块石头都在叫喊。细菌的世界是拥挤的是大眼睛一根根链条和一串串葡萄和蹦来蹦去的小棍儿没听说过三角圆锥和菱形。蟑螂总是沿着直线爬行被扒拉一下总是紧张地停一会再沿着新的直线爬行当你把它冲下马桶它不是一口气没喘上来淹死而是崩溃至死。

还有带鱼它们都是死后才上岸然后大吃一惊然后一脸死不瞑目的样子。电视说南方古猿看东西是黑白的，有人在进化中掉了队今天还是色盲。二维的蟑螂不知道三维的人去哪儿了。三维的人看不见明天去哪儿了。

如果有谁是万能的，他至少应该是四维的，在未来有一个观察点。他看世界就是既宏观又微观既平坦又弯曲既繁复又单一既发生又结束，人夹在中间短促扁平线条凌乱无声无息无色无味生即是死有等于没有。

有的人死了，身体腐败，这是字典古典意义的死。有的人死了身体还好，这就是鬼。很多鬼本来很顺转得毫无痕迹，日子过不下去十分尴尬得了忧郁症据我所知主要拧巴在观念上。放下观念天高地大元亨利贞。

任何人死了，一动不动躺在棺材医院或他们家床上，您千万别以为他那里一切都停止了，不！他正在思绪万千呢——我向您保证。

对我来说，事情还要复杂一点，因为再之后我睁开了眼，躺在一所大房子里四下很安静。这天花板和心情很熟悉，很多很多年前我这么睁开眼也是这么躺在一所大房子里四下很安静，只是上次周围躺着很多小孩这次只有我一位大人。我有一具大身体。转转脑子一部现成的思想机器，人类常识社会习俗一转儿一筒儿马上印下来字体有些陈旧。这一次好。这一次不必像上一次那样费事了，还要放在不相干的人家往大了养。

上次关于自己我想起的不多，这次关于过去似乎还在，在雾里，林林总总形形色色人人身身哭哭笑笑比比画画声声语语件件回回故故事事，还在记忆深处直至眼前。

我起来了，这过程没人看见我看见天了。

窗外面是老白天，就是没有太阳非常清楚生生的白底子，一般发生在夏日云停云的午后，本来是大太阳结果找不见蓝天，遍地银银廊廊冰冰齿齿，一只楼立在那里一枝树立在那里一粒一粒车离去全无明暗关系影子移送分外原色。

这白不呲咧白头白脸敦敦实实持续到天穷日暮，还是不给阳光进来打岔，还是一葱二青，青老了，街面楼面漫漫车流尽快一下统统老成腊，再老就是咖喱，再老就是咖啡就是葡萄茄子豆豉鲮鱼再擀斤面条烙张饼炒个鸡蛋我这是饿了。

还是在中国。——想吃的都是中文我熟的方块字马赛克上下行。英语还是不会。真行。我这饭劲儿上来了一阵阵越来越是个人了。

我在中国都干吗了？有没有什么基础什么关系上辈子开了一半的公司或者饭馆？不要犯罪至死被人追杀没得罪过什么人吧不要见着又毙我一回。也不要快要饭穷死的看这个环境不太像一定二定不是大人物有很高的待遇因为没从水晶棺材里坐起来。噢，我想起来了。噢，我死前演的是作家。

我太逗了。

4

这么多雪从天上降下来压在两岸的树上它们在天上一定是奶

酥堆的天花板。眼睛在车河里一脚一脚带着刹车滑行。

从加拿大使馆路口拐弯时雪已经下乏了零星飞舞在玻璃上像几只乱了方寸的蚊蠓，接二连三就不见了。

东直门外大街棉棉垛垛隔三差五有树被压断了枝一头抢在地上绿叶驮着新雪像散了捆的粽子荷叶托着年糕。

车里暖气烧得很足吹在眼上烀睫毛，皮肤挂一层石棉表面温热皮内脂肪腔骨血肠下水仍然冻在一起，寒战在脑肉瓜里一个大于一个画圈儿我想这是神经在回忆冷不管周围已经热了。如今确实不比从前敏感，什么都慢，每档事都要变成回忆才有反应，就是说只有上一刻，没有现在此时和接下来。出了门还在摔门前，下了车还在刚才那个躲的动作和紧接的油练会车里。于是出现空白，发现自己愣在雪地里登着一家关门饭馆的高台阶儿半天了，不知道为什么这是打算要干吗。

这个世纪雪来得早我獠望四周（这智能字库真不靠谱居然简化成“了望”逼得我用犬犹旁早发现这哥们儿弱智了），估计树叶儿又等不到黄就该谢了——这是麦子店后身朝阳公园西门那条街我认出来几家酒吧饭馆“吉萨”、“夙昔黄”的招牌和门脸儿。刚才忽然一念想吃口油条就在这家老北京馆子门口停了车，撞门待到这一刻才想起“非典”之后这家的早点就撤了。

死后第二天我在床上醒来，完全忘了自己已经死了这回事，只是感到疲劳，全身肌肉都松了转儿，像背着一百多斤肉馅儿，一心想着去上班，靠骨头的几个支点起了床。

我拿出手机按139……再往下一点头绪也没有这是谁的号码。上了车扭脸想起还没着车……想起该回家洗洗睡了……扭脸发现还没挂挡点烟器嗒一声蹦起来，拔出火红的螺丝转凑到嘴边才发现嘴上没烟。

楼房像排萧天空是锯齿形的我想。这一片都是新盖的过去是太阳宫公社的水田农展馆立在远方像一座遗弃在田野的宫殿十岁我搬来东城学北京话这还是一个小城市。

我提醒自己别忘了，下一个小路口再等十辆车就该拐了出朝阳门岸上还有老城墙剩根青茬儿，二环路还是护城河泥里有镜子朝东了望最高的房子是亮着盖儿的环形砖堆工体场和它弟水泥罐头工体馆。

我已然忘了，只记得纯别忘了，别忘了什么完全想不起来就像手还扯着风筝线风筝看不见了。丢念头特别像丢器官，看见一钱包在地上，一弯腰没手。越想越想不起来，姑娘都停下来了，回头了，也笑了，这边玻璃里张嘴没声亮鸡巴就成流氓了，急死谁。这时只乱想，轰起苍蝇找肉末儿。

西五街西班牙使馆希腊菜馆鲜虾沙拉可吃。三里屯男孩女孩桐庐小厨霉干菜蒸肉劲道。

听说过没头苍蝇么，没脑袋还飞呢，我就是这样儿，眼睛镶肩膀上狂开车，兜来兜去挺着急不知道为什么急。这时候就盼着有一苍蝇拍儿，损点把我窟擦一下停住血溅一地也行。苍蝇有苍蝇的痛苦，怨不得都爱往屋里飞——我老想它干吗呀。有一种状态叫崴泥，就是出门掉坑里，糖纸擦屁股，坐在那儿就是起不来。

觉得自己忘了事，就剩和忘记本人较劲了别的事都忘了叫顾不上也行。操它妈我必须想起来，这点事我都办不了万一以后大事来了我还办不办。到底是一什么事把我拧巴在这儿我这暴脾气。

我一脚蹬住车在路当间后面立刻喇叭暴响，一辆红色出租车掰出来司机在里边伸着头大口嚼舌头地骂。

你才傻逼呢。我靠边揣着手扭脸想自己的事。

这不挺好么新雪扫街天下太平纷纷攘攘只为钱来，使馆区只有俩红绿灯不像过去要骑自行车，一帮苦孩子窜到那儿看墙外图窗隔不远站一个双手贴裤线的战士现在鸡也高兴人也高兴。

上学时能睁着眼睡觉当兵时练过睡着觉站岗那境界挺高的，什么都不想一个梦接一个梦眼前每过一人儿还都知道，我们一哥们儿他们家狗看电视自各会乐特别爱看……

是猫，猫和老鼠——刚才憋着给猫打电话拨一半忘了。我在车里拍手称快，牛逼！谁说我记性不好了，过脑子的都收文件夹里了。海瑞说我打三个号码就叫你们全完蛋——110。

这回记着了我乐呵呵准备开车先抽根烟。猫的眼睛不能白天看晚上小灯下眼睫像文过深成黑洞还有点内旋，小豆栗羊羹卷蛋筒，还有那对弹簧肩。这回不会忘了记者给猫打电话，记者的胸又来又小也分人，也就是个把手大的是瘤子小有小的好处。

烟抽完我觉得又把刚才想的忘了，都赖这根烟。刚才都到跟前儿了，也不在哪条线一岔又给岔了，就在隔壁沟里儿组浮想界饼儿。

我耷拉着脸对自己说，关键词比较关键。

往回领最后一首主打句根儿是小胸，谁的小胸人和猫的胸并不小，不是给猫打电话，还有更大的在这前边前边。

刚才怎么一句一句跟脚儿聊到猫这儿来的？西五街希腊菜和鸡，三里屯没头苍蝇血喷一地，朝阳门二环路农展馆树林一地塑料纸，天下太平冷雪油条了望电脑不靠谱——是这个？这不值得一记呀。

再从小胸开始，小有小的好处十岁我才开始说北京话搬来仓南胡同北京军区总院对过老段府一院子一院子青砖平房假山鱼池葡萄架，水龙头一滋水就有彩虹夏天大雨街上漂绿西瓜紫茄子隔纱窗看光胳膊女孩跳皮筋儿苍蝇有苍蝇的难处怪不得都往……

想起来了，在这儿岔的，关键词是“屋”。忘的是家，回家。把回家忘了。

大雪霁天儿我在这条街梭梭开了两个来回半个上午，从前门楼子到胯骨轴子，坐在车里抬头就能望见的那两座H形脏熊猫皮色的大笨楼，都开到家门口来了还跟自个儿瞎打听，什么情况都是。

家，是很多道墙和坚硬的桌子柜子，想不下去。但是家门口儿家店铺买卖还认得，中午这会儿这帮人开了门出来铲雪扫台阶准备迎客了。太阳丫也出来了，马路当间的雪都化成了泥，石油换豆腐碾成一锅乌贼汁面条。装什么孙子呀！谁还没过过日子呀，谁还没搞过房地产呀，退二十年我这就等于住田埂上，有本事明儿就跟天津连上。

回家回家，现在回家睡自个儿床洗白点被窝里软和有弹簧女孩擦干是双耳瓶子翻面儿是抛光铜葫芦——但是一定要回家。

我使劲想着家家家，盘把弯轮怒上庭院下坡地库，一根筋不给奔想驰念插出栅栏，栽成林子，跑到社会上又铺一席零零碎碎街头即景旧日一瞥黄色幸福。

做鬼没有家。这个声音在我耳边小声说。做鬼没有家。这个声音在我耳边大声说。我从地库走进大楼地下室，地库有一保安披军大衣，物业办公室有一青衣女子低头写字，通往游泳池和超市那条走廊有碎脚声。

玩儿蛋去！我大声说。猛看见电梯前一个小保姆撅着大屁股拎一兜子白皮鸡蛋一把小葱一瓶子橙汁一脸通红。忙说，不是说你。鬼在笑。

笑个屁。我转脸冲着墙，我就这操性，你拿我怎么办吧。

人有一句话叫心里有鬼。对我来说这是一个具体的声音，当我走进地下室或者游泳时潜入水下这声音就非常清晰地出现。我只能分辨这是个孩子稚嫩的嗓子，带有北京西郊普通话口音。不是我认识的任何朋友的声音。这是一个嘲笑的声音，否定的声音，总是站在我处境的外边，危险的时候会把我从梦中唤醒，顺手的时候迅即把我打入困惑。我试图忽略他，为此很多年不游泳尽量不走地下室。我躲了他很多年，最近他又出现了，电话响拿起来没人没有来电显示，十有八九是他。有的时候我打电话没人接，这孩子的声音也会出现在每一滴响之间的空寂当中。他老是想显得他正确，老是想证明我什么也不是，就算他对我也不听他的。活着的时候我有点怕他，死了之后最不怕的就是鬼鬼祟祟的东西。

我等着他，等他来跟我装好人。有时夜里专门去地下室游泳，等他露面。

5

我自己住已经很久了。从我意识到自己是个鬼，再和羚角水滴住在一起假装仍在过日子，对我就是一种难以问心的折磨，这样对她们也不公平。

从这个家搬出来时状况相当惨烈。我没法说我死了所以要搬出去住。讲了也没人信。我要活着我也不信。也会当做一个低级的借口对人智商的侮辱。一般人都认为鬼是丑陋的狰狞的像一摊烂泥，我要变成那个样子一定很有说服力，非常可悲，我还是老样子，只是多了几根白头发，掉了一颗牙齿，眼神不再乐观，老一点也可以说老谋深。羚角认为我在外面有了别的女人，狠心抛弃她们，也只好用这个借口了，这样就变成人间风波，话未必讲透大家都透着明白。

我确实有一个女朋友，这不是秘密，秘密是我们已经分身但还保持同伙的关系。我刚做新鬼还不是很自信，鬼的日子一眼望上去细长耷拉天，这一去枪如林弹如雨，未必事事皆了也许还需要跟谁通个款曲递个包袱打个掩护。人里还要留个朋友，大约莫也有用钱的地方。

我跟小麦说：我要写一牛掰小说死后的日子，要是别人都说我疯了你千万一定记着我是在写小说。

羚角说：你就是，虚伪。

做人我做得漏洞百，做鬼我希望周到一点，凡是鬼的纪律一律守，不要再留肠青了。人做不好尚可一死谢，鬼做颓了连粉身碎的机会都没有。

鬼的纪律之一就是自己住，穷独孤仄，才能蔼然应对撞进眼里的每天一个世界。也不像人有法律和教育系统，鬼怎样做全凭自然律驱使像水往低处流青苔必须长在阴处，抗拒就活不好。对，鬼也把连续在这儿叫活着。在某种意义上我是人的背面，愿意叫变质的人也可以。鬼受人的影响很大就像人受猿的影响，咱们在进化上是一根链条：猿——人——鬼——再往后暂且不知道。

我尊重历史，基本词汇沿用人的——当我一定要跟人打交道的时候。我曾很敏感鬼这个人词，刚死的时候跟人聊天老跟人说你就管我叫精神病吧。我虚荣地管自己叫死了还活着的人。后来豁然开爱谁谁，一个词臧否褒也就是人积心，其他东西一概置若罔无大所。不叫人了还耿耿于这是做人脑习惯。做人是一个烙印很深的经历，深在人这个玩意儿善于对着镜子吠形吠影，自己出来了要删去这个习惯需要挖脑剜心。很多时刻歌词大意知道一切已经了结还在其中焦虑。尤其是我这种一不小心留在人间的鬼，一个侨民，有时就得逼着自己入乡随俗。

人是很脆弱的动物，表面不一致就会受到惊吓。他们互相就很排斥一塌糊，其他动物要跟他们同光圈生活在一起必须做出很驯服的样子。这就使我不能做一个纯粹的鬼。我承认，我是一个很做作的鬼，做了鬼还写小说本身就很做作。

和人们猜测的相反，鬼的纪律之二是能闪就闪自己辛苦也别扰民。因为惹不起。有些鬼被人捉住，悲剧在于他们忘了自己是鬼，摆脱不了对人的怀念，不是在情里就是太愤怒，犯了天条。

说到容易做到难。实际上到今天，我也经常忘记自己是鬼，几天或者几个礼拜，像人一样盲目行动起来。

刚死的时候我可着四九城住旅馆，不知道自己是鬼，以为升华了，巨大无比鸟瞰这个社会，天上飞过一朵云，也以为是自己的影子。蜷缩在小旅馆墙皮剥落的房间内窃喜、战栗、沉迷。上卫生间刷牙低着头，不敢照镜子，怕在里面看到另一张脸。就像做了一场大梦醒来，不知道自己是谁，房子是租的，姓名是借的，不敢开电视，怕看见自己的一生在里面演，不敢上街，怕是外星球街上都是外星人。

有一个晚上，看见了自己的未来，在一所房子里和一个大眼睛的不认识女人一起做饭，案板上有芹菜和萨拉米肠，两个齐腿高跑来跑去的孩子也都不认识长着和妈妈一样的大眼睛。在未来的画面里还向窗外看了一眼，窗外是黑暗咆哮的大海。

接着还是在未来，回到了西坝河，自己过去的第一个家。家里落满灰尘，羚角不在了，水滴也失踪了，我想找电话，想起这是一百年之后。房间里响起羚角录在墙上的歌声：我爱你……我爱你……各种声调阿拉伯文一样弯弯绕，飘向天花板，飘向四墙壁凝固成累累花纹。房间里都是羚角的魂儿，空气也像扇子挤来挤去，就是拼不出形状。

旅馆的摆设一套套扯开陈列在过去和未来的房间里，互相抹去局部，互相交替柱脚，互为景深，万花筒一样组接，人物在盘子底走弯道，永远拉不到跟前来。

不敢喝水，因为不相信眼前这个杯子的真实性。不敢走路，不相信踩到的百分之百是地板。

端着小鸡鸡不相信这个玲珑圆亮的马桶万一尿在别人手上呢。

穿着衣服不相信自己穿着衣服。拼命拍墙不相信墙能挡住视线。不相信自己当过作家，打开电脑找写过的小说。不相信这个电脑，这张桌子，这间屋，屋外的树，树后面的路灯，路灯下的大街，大街上人群，这个城市，这个国家，这个星球。不相信已经这样过完了自己的一生。

我双手扪胸来到大街上，这是虎坊桥，前门饭店。怎么会来到这条街，很多年前我在那头一条胡同里的幼儿园办公司，常从这儿经过，进饭店吃早餐已经很多年不往这一带走了。

已是冬天远周围一片萧瑟我穿着棉袄脖子灌凉气，饭店里进出的人都是夏装光胳膊光腿，饭店前这一片的树都是茂绿正是当年我们在时的光景。

站在一边看了半天，瞧见当年办公室一个姑娘出来打的我才看明白，这是我的往事。

我往北走，看见了两个天安门。我看不到自己，如果穿着军装就是76年还是高中生，如果穿着背心就是89年。都是人头，找不到自己，找不到自己就认不出是哪一年。

贴着街边往东走，两个北京饭店，两个王府井南口，两个东单。季节也始终是两个，冬春或者春秋或者夏秋。天上两个太阳，这边刮风对街下雨，地面落雪远空月晕。冬春搭在一起最好看，一片老银素底上绣着暗花细草。夏秋在一起黄中透绿很像陆军呢子。春秋在一起像孔雀跳在豹皮上开屏那叫一个乱。

我看到两个等人的场面，在两个美术馆门前一个中午一个黄昏。门前没有我但我知道那是我在等。一辆梳辫子的无轨电车进站，我捂住眼睛，怕看见接着下来的姑娘。

扭脸还是看见另一个姑娘，骑着自行车，鼻尖上逆风顶着一块纱巾当年正在刮黄土。她们都是两个，一个少女一个妇女，可以同时看到一个人年轻和衰老的脸。

街上一半明一半暗，一半是白昼一半是黑夜。我非常想看到自己，但这个时光倒流是残缺的，像半个镜子。

猫告诉我，人变成鬼之后有一个现象就像打扑克周围总出对儿。因为你对时间没意义了，它也没必要一定在你面前顺时针转。这都是互相的，你赋予意义万物就呈现规律，你不注意万物就是紊乱的。现在是分开过去和未来的挡板，受人体结构限制两只眼睛都长在一面，你不可能同时朝两个方向看，现在这块板儿抽掉了，过去和未来就交流在一起像客厅和厨房打通隔断，你就能既在厨房又在客厅。猫说，同时出现两个世界也是奇景，是大倒流，用在那些自我意识特别强特别不肯放弃的鬼身上，予以摧毁。比较常见的是小回旋，把人的社会烙印抹平，精神特征冲圆，好比浪洗沙雕，什么作品淘一遍都回沙子。

老王说，咱们朋友圈起手就有四对儿，拉拉和林，老米和小辫儿，小霍和燃燃，天儿和强儿，再凑两手就能糊豪七了。

他们坐在我在盈科中心二十一层的办公室角落。我们网站去年秋天烧完钱已经解散了，但那些小孩还在开着管灯的房间里忙忙碌碌，拉上百叶窗的直播室里还有旧时嘉宾在网上聊天，能听见里面隐隐的说话声和笑声。已经去了澳洲的小纪在隔壁办公室打电话。已经去了上海的小马在和一个忘了姓名的同事唧唧喳喳说话。楼下曾经茂盛的树已经掉光了叶子。

老王问我，你觉得我们真实吗？

我说，说话就真实，不说话就不真实。

猫递给我一杯冒着热气的水，说，喝口热水。

我把一杯水喝下去，口腔里一点感觉都没有，仍然像晒了一天的棉花套子。

猫说，你没有喝。

我说，喝了。再次把满满一杯水倒进嗓子眼。

老王叹口气，水还是满的。

猫说，咱们不能在这儿待着了，太熟悉的环境看到的东西也越多，说说话，逛逛生地方，会好一点儿。

下了电梯，来到大堂，那些保安像黑社会，穿着黑西装手拿对讲机。猫问我，你现在觉得这些人真实吗？

我说，都是两个，我怎么知道哪一个真实。

猫指着一个方面问我，你觉得那是什么。

我说，镜子。

你看到什么了？

我们。我看着前方一面接一面落地大镜子里，我和老王、猫站在一起看自己。

猫说，现在我告诉你，那是玻璃，上头的东西都在外面。

我看着那三个人中的我，是一个拘谨腼腆故作镇静的男子，看到我僵硬地笑了，我知道他尴尬，心里在脸红。他来到这个世界第一年就被吓着了，到今天也没缓过来，他怕所有人，很早就逃了，躲着我，藏了四十年。他也长大了，但心里还是很幼稚，对人和这个社会上通常的事难以理解，时时感到畏缩。我也让他陌生，是另一个人，这从他的眼神里就能看出。他顾虑重重地站在那里，我知道他在犹豫，他今天能来已经付出了极大的勇气，看到我，一下又不自信了，不确信自己的出现是否合时宜。他也怕我，我的尖刻，我的傲慢，我在这个世上积累了四十年的全部世故城府和不真诚。我们仍然感到亲，阔别四十年还是一个人，他像弟弟，我是他的坏哥哥。

我向他伸出手，玻璃门向两边让开，这一刹那，我们重逢了，我不在了，只有他站在那里，与此同时，周围的人、景致，所有两个都变成一个。

我从他的眼中看街上，夜色雪亮，马路下了一地霜，踩出一行行腰果图案的脚印，漫天星斗像五角星和五分钱都升上天，街灯像一排将军的肩章，汽车灯来如水晶珠链去如一连串被嘬红的烟头，临街大楼打着竹林般的绿光，空中跑着一列列窗户，霓虹灯像鬼手刷的标语，头顶树杈结满寒霜举着一只只糯米巴掌，在光里滴着橙汁，一棵棵树身上缠着泪珠般淌下来的串灯，遍地灯笼斑点，十字路口是一座不断坍塌下来的光的百层积木。

我迟疑了一下，走进光里，就被光冻成糖，脑子里一片金色，像在黄昏收割麦田，迎着夕阳摘向日葵，晚霞如钢水决堤下着香蕉雨。我能看见自己的颅内，一个被秋阳完全照亮的空荡荡的铜亭子，还能眺望到一群鸽子般振翅飞走的念头，影子依依留在天上。

猫靠在我身上，一只手紧紧搀着我，眼睛全溶在光里，像一弯横照额头的金月牙。我像一只蝉蜕，在透明中颤抖，不知不觉流下欢喜的泪水，说，怎么这么好。

猫不语。

6

我在白塔寺卖药时猫住在锦什坊街。

二十六集到四十集我演了十五集作家，开头演得也不太好，一颦一笑不得要领，后来观众急了，管不得要领叫单走一路，见到我就说，你就是演作家那个人。把我也叫习惯了，忘了是在演戏。有一阵，因为太成功接的作家戏太多经常同时跨着两三个剧组被媒体称为“作家专业户”，根本没时间卸妆以至无时不在戏中，最后到了这样一种境界：只剩自己还在演。这是一个演员最牛掰的境界，自己都信了。

王朔主要作品年表

【1978年】

《等待》（短篇小说）发表于《解放军文艺》第11期。

【1982年】

《海鸥的故事》（短篇小说）发表于《解放军文艺》第8期。

【1984年】

《空中小姐》（中篇小说）发表于《当代》第2期；

《长长的鱼线》（短篇小说）发表于《胶东文学》第8期。

【1985年】

《浮出海面》（中篇小说）发表于《当代》第6期。

【1986年】

《一半是火焰　一半是海水》（中篇小说）发表于《啄木鸟》第2期；

《橡皮人》（中篇小说）连载于《青年文学》第11、12期。

【1987年】

《杠然不供》（中篇小说）发表于《啄木鸟》第1期；

《人莫予毒》（中篇小说）发表于《啄木鸟》第4期；

《顽主》（中篇小说）发表于《收获》第6期。

【1988年】

《痴人》（中篇小说）发表于《芒种》第4期；

《人命危浅》（中篇小说）发表于《蓝盾》；

《毒手》（短篇小说）发表于《警坛风云》；

《我是狼》（短篇小说）发表于《热点文学》；

《各执一词》（短篇小说）发表于《文学故事报》；

中篇小说集《空中小姐》由中国青年出版社出版。

【1989 年】

《一点正经没有》（中篇小说）发表于《中国作家》第 4 期；

《千万别把我当人》（长篇小说）连载于《钟山》第 4、 5、 6 期；

《永失我爱》（中篇小说）发表于《当代》第 6 期；

长篇小说《玩的就是心跳》由作家出版社出版。

【1990 年】

《给我顶住》发表于《花城》第 6 期；

《王朔谐趣小说选》由作家出版社出版。

【1991 年】

《我是你爸爸》（长篇小说）发表于《收获》第 2 期；

《修改后发表》（中篇小说）发表于《小说家》第 4 期；

《无人喝彩》（中篇小说）发表于《当代》第 4 期；

《谁比谁傻多少》（中篇小说）发表于《花城》第 5 期；

《动物凶猛》（中篇小说）发表于《收获》第 5 期。

【1992 年】

《你不是一个俗人》（中篇小说）发表于《收获》第 2 期；

《懵然无知》（中篇小说）发表于《都市文学》；

《许爷》（中篇小说）发表于《上海文学》第 4 期；

《过把瘾就死》（中篇小说）发表于《小说界》第 4 期；

《刘慧芳》（中篇小说）发表于《钟山》第 4 期；

《千万别把我当人：王朔精彩对白欣赏》（王朔、 魏人合著）由人民中国出版社出版；

《过把瘾就死》（著名作家新作大系）、《王朔文集》（纯情卷、矫情卷、谐谑卷、挚情卷）由华艺出版社出版；

《我是王朔》由国际文化出版公司出版。

【1993年】

《海马歌舞厅：四十集电视系列剧》（电视剧本选集）、《青春无悔：王朔影视作品集》由中国社会科学出版社出版。

【1995年】

《王朔文集》（1—4卷）由华艺出版社出版。

【1998年】

《王朔自选集》由华艺出版社出版。

【1999年】

长篇小说《看上去很美》由华艺出版社出版。

【2000年】

《美人赠我蒙汗药》（对话集）由长江文艺出版社出版；

《王朔最新作品集》由漓江出版社出版；

《无知者无畏》（随笔集）由春风文艺出版社出版。

【2001年】

《文学阳台—文学在中国》、《美术后窗—美术在中国》、《电影厨房—电影在中国》、《音乐盒子—音乐在中国》等“文化在中国”网站系列丛书由上海文艺出版社出版。

【2003年】

王朔文集（包括《顽主》、《过把瘾就死》、《我是你爸爸》、《玩的就是心跳》、《篇外篇》、《橡皮人》、《千万别把我当人》及《随笔集》）由云南人民出版社出版。

【2007 年】

小说集《我的千岁寒》由作家出版社出版；

长篇小说《致女儿书》由人民文学出版社出版；

小说随笔集《新狂人日记》由长江文艺出版社出版。

【2008 年】

长篇小说《和我们的女儿谈话》第一部发表于《收获》第 1 期，并由人民文学出版社出版。

图书在版编目（CIP）数据

新狂人日记 / 王朔著. — 北京 ：北京十月文艺出版社，2016.6

（王朔文集）

ISBN 978-7-5302-1573-9

Ⅰ. ①新… Ⅱ. ①王… Ⅲ. ①短篇小说—小说集—中国—当代②随笔—作品集—中国—当代③日记—作品集—中国—当代 Ⅳ. ① I217.2

中国版本图书馆 CIP 数据核字（2016）第 057340 号

新狂人日记
XIN KUANGREN RIJI
王　朔　著

出　　版　北京出版集团公司
　　　　　北京十月文艺出版社
地　　址　北京北三环中路 6 号
邮　　编　100120
网　　址　www.bph.com.cn
发　　行　新经典发行有限公司
　　　　　电话（010）68423599
经　　销　新华书店
印　　刷　北京盛通印刷股份有限公司
版　　次　2016 年 6 月第 1 版
　　　　　2022 年 10 月第 11 次印刷
开　　本　850 毫米 ×1168 毫米　1/32
印　　张　7.75
字　　数　167 千字
书　　号　ISBN 978-7-5302-1573-9
定　　价　40.00 元
质量监督电话　010-58572393